KB101539

1단계B 완성 스케줄표

공부한 날		주	일	학습 내용
월	일	**1**주	도입	1주에는 무엇을 공부할까?
			1일	수로 나타내기
월	일		2일	사이에 있는 수, 더 큰 수와 더 작은 수
월	일		3일	수 카드로 수 만들기
월	일		4일	조건에 맞는 수
월	일		5일	규칙에 따라 계산하기
			특강 / 평가	창의·융합·코딩 / 누구나 100점 테스트
월	일	**2**주	도입	2주에는 무엇을 공부할까?
			1일	올바른 계산
월	일		2일	수 카드로 계산식 만들기
월	일		3일	알맞은 수 구하기
월	일		4일	모양 본뜨고 찍기, 꾸미기
월	일		5일	색종이의 모양
			특강 / 평가	창의·융합·코딩 / 누구나 100점 테스트
월	일	**3**주	도입	3주에는 무엇을 공부할까?
			1일	10이 되는 덧셈
월	일		2일	10에서 빼는 뺄셈
월	일		3일	세 수의 계산 활용
월	일		4일	시각과 시각의 순서
월	일		5일	시각 구하기
			특강 / 평가	창의·융합·코딩 / 누구나 100점 테스트
월	일	**4**주	도입	4주에는 무엇을 공부할까?
			1일	규칙 찾고 규칙에 따라 나타내기
월	일		2일	수 배열의 규칙
월	일		3일	덧셈 상황 이해하기
월	일		4일	뺄셈 상황 이해하기
월	일		5일	알맞은 수 구하기
			특강 / 평가	창의·융합·코딩 / 누구나 100점 테스트

공부한 날을 표시하고 하루하루 학습 내용을 살펴보세요.

**Chunjae
Makes
Chunjae**

▼

기획총괄	김안나
편집개발	김정희, 이근우, 서진호, 한인숙,
	최수정, 김혜민, 박웅, 김현주
디자인총괄	김희정
표지디자인	윤순미, 안채리
내지디자인	박희춘, 이혜미
제작	황성진, 조규영

발행일	2021년 4월 15일 초판 2021년 4월 15일 1쇄
발행인	(주)천재교육
주소	서울시 금천구 가산로9길 54
신고번호	제2001-000018호
고객센터	1577-0902

※ 이 책은 저작권법에 보호받는 저작물이므로 무단복제, 전송은 법으로 금지되어 있습니다.

※ 정답 분실 시에는 천재교육 홈페이지에서 내려받으세요.

※ KC 마크는 이 제품이 공통안전기준에 적합하였음을 의미합니다.

※ 주의

책 모서리에 다칠 수 있으니 주의하시기 바랍니다.

부주의로 인한 사고의 경우 책임지지 않습니다.

8세 미만의 어린이는 부모님의 관리가 필요합니다.

똑 똑 한
하루
사고력

창의·융합·서술·코딩

초등
수학 | **1B**
1학년 수준

구성 및 특장

똑 똑 한
하루
사고력

어떤 문제가 주어지더라도 해결할 수 있는 능력,
이미 알고 있는 것을 바탕으로 새로운 것을 이해하는 능력
위와 같은 능력이 사고력입니다.

똑똑한 하루 사고력

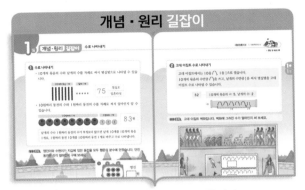

개념과 원리를 배우고 문제를 통해 익힙니다.

하루에 6쪽씩
하나의
주제로 학습합니다.

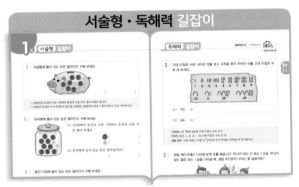

서술형 문제를 푸는 연습을 하고 긴 문제도 해석할 수 있는 독해력을 키웁니다.

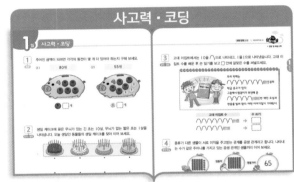

한 주 동안 학습한 내용과 관련 있는 창의 · 융합 문제와 코딩 문제를 풀어 봅니다.

똑똑한 하루 사고력 특강과 테스트

한 주의 특강

특강 부분을 통해 더 다양한 사고력 문제를 풀어 봅니다.

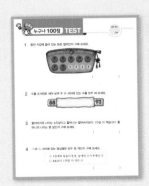

누구나 100점 테스트

한 주 동안 공부한 내용으로 테스트합니다.

차례

10개씩 묶음 7개 ➡ 70

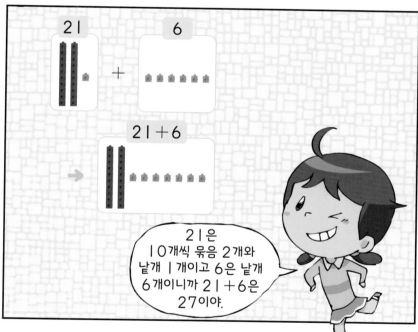

• 100까지의 수

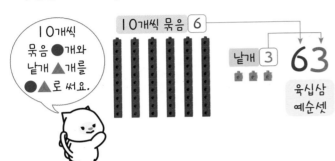

확인 문제

한번 더

1-1 ☐ 안에 알맞은 수를 써넣으세요.

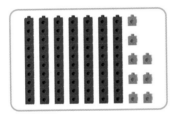

10개씩 묶음 ☐개와 낱개 ☐개

이므로 ☐입니다.

1-2 빈 곳에 알맞은 수를 써넣으세요.

10개씩 묶음	낱개		수
5	4	➡	
8	0	➡	
7	9	➡	

2-1 수를 순서대로 써넣고 ☐ 안에 알맞은 수를 써넣으세요.

96 — 97 — ☐ — ☐ — ☐

➡ 99보다 1만큼 더 큰 수는

☐입니다.

2-2 빈 곳에 알맞은 수를 써넣으세요.

1만큼 더 작은 수		1만큼 더 큰 수
☐	99	☐

• 수의 크기 비교

10개씩 묶음의 수를 먼저 비교하고, 같으면 낱개의 수를 비교해요.

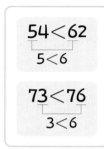

$54 < 62$
$5 < 6$

$73 < 76$
$3 < 6$

• 덧셈과 뺄셈

$$\begin{array}{r} 3\,5 \\ +\ 2 \\ \hline 3\,7 \end{array} \qquad \begin{array}{r} 3\,5 \\ -\ 2 \\ \hline 3\,3 \end{array} \qquad \begin{array}{r} 3\,0 \\ +2\,0 \\ \hline 5\,0 \end{array} \qquad \begin{array}{r} 3\,0 \\ -2\,0 \\ \hline 1\,0 \end{array}$$

낱개끼리 계산하고
10개씩 묶음을 내려 써요.

10개씩 묶음끼리 계산하고
낱개에 0을 써요.

확인 문제

3-1 53과 62의 크기를 비교해 보세요.

• 53은 62보다 (큽니다 , 작습니다).

➡ 53 ◯ 62

• 62는 53보다 (큽니다 , 작습니다).

➡ 62 ◯ 53

한번 더

3-2 ◯ 안에 >, <를 알맞게 써넣고, 알맞은 말에 ◯표 하세요.

85 ◯ 81

• 85는 81보다 (큽니다 , 작습니다).

• 81은 85보다 (큽니다 , 작습니다).

4-1 덧셈을 해 보세요.

(1) $52 + 6 = \boxed{}$

(2) $70 + 10 = \boxed{}$

4-2 덧셈을 해 보세요.

(1) $4 + 32 = \boxed{}$

(2) $30 + 40 = \boxed{}$

5-1 뺄셈을 해 보세요.

(1) $64 - 3 = \boxed{}$

(2) $70 - 20 = \boxed{}$

5-2 뺄셈을 해 보세요.

(1) $85 - 5 = \boxed{}$

(2) $60 - 30 = \boxed{}$

① 수로 나타내기

- 10개씩 묶음의 수와 낱개의 수를 차례로 써서 몇십몇으로 나타낼 수 있습니다.

75	칠십오
	일흔다섯

- 10원짜리 동전의 수와 1원짜리 동전의 수를 차례로 써서 얼마인지 알 수 있습니다.

83원

> 낱개의 수나 1원짜리 동전의 수가 9개보다 많으면 낱개 10개를 10개씩 묶음 1개로, 1원짜리 동전 10개를 10원짜리 동전 1개로 바꾸고 수로 나타냅니다.

활동 문제 영진이와 수현이가 지갑에 있던 동전을 모두 행운의 분수에 던졌습니다. 던진 동전은 각각 얼마인지 구해 보세요.

▶ 정답 및 해설 2쪽

2 **고대 이집트 수로 나타내기**

고대 이집트에서는 10을 ⋂, 1을 |으로 썼습니다.
10개씩 묶음의 수만큼 ⋂을 쓰고, 낱개의 수만큼 |을 써서 몇십몇을 고대 이집트 수로 나타낼 수 있습니다.

52 —— 10개씩 묶음의 수: 5, 낱개의 수: 2

5개　　2개

활동 문제 고대 이집트 벽화입니다. 벽화에 그려진 수가 얼마인지 써 보세요.

1-1 저금통에 들어 있는 돈은 얼마인지 구해 보세요.

(   )

- 10원짜리 동전의 수와 1원짜리 동전의 수를 각각 세어 차례로 씁니다.
- 1원짜리 동전의 수가 9개보다 많으면 10개를 10원짜리 동전 1개로 바꾸고 수로 나타냅니다.

1-2 유리병에 들어 있는 돈은 얼마인지 구해 보세요.

(1) 10원짜리 동전의 수와 1원짜리 동전의 수를 각각 세어 보세요.

10 (   )

1 (   )

(2) 유리병에 들어 있는 돈은 얼마일까요?

(   )

1-3 동전 지갑에 들어 있는 돈은 얼마인지 구해 보세요.

10 은 ☐ 개, 1 은 11개 들어 있습니다.

1 10개를 10 1개로 바꾸면 10 은 ☐ 개,

1 은 ☐ 개가 되므로 동전 지갑에 들어 있는

돈은 ☐ 원입니다.

2-1 고대 이집트 수로 나타낸 것을 보고 규칙을 찾아 주어진 수를 고대 이집트 수로 써 보세요.

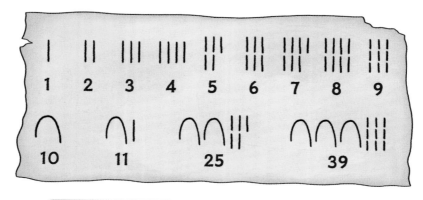

(1) 70 ➡

(2) 64 ➡

● 구하려는 것: 70과 64를 고대 이집트 수로 쓰기
● 주어진 조건: 1, 2, 3……을 고대 이집트 수로 쓴 것
● 해결 전략: 고대 이집트 수에서 ∩과 |의 수가 무엇을 나타내는지 알아봅니다.

2-2 생일 케이크에는 나이에 맞게 초를 꽂습니다. 무늬가 있는 긴 초는 10살, 무늬가 없는 짧은 초는 1살을 나타낼 때, 생일 주인공의 나이는 몇 살일까요?

(   )

1 주어진 금액이 되려면 각각의 동전이 몇 개 더 있어야 하는지 구해 보세요.

추론

(1) 80원   (2) 55원

2 생일 케이크에 꽂은 무늬가 있는 긴 초는 10살, 무늬가 없는 짧은 초는 1살을 나타냅니다. 오늘 생일인 동물들의 생일 케이크를 찾아 이어 보세요.

창의 · 융합

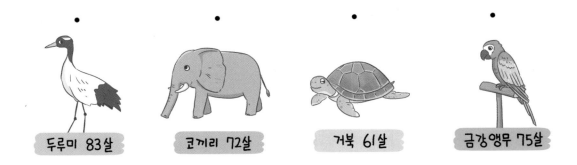

▶ 정답 및 해설 2쪽

3 고대 이집트에서는 10을 ∩으로 나타내고, 1을 |으로 나타냈습니다. 고대 이집트 수를 배운 후 쓴 일기를 보고 ☐ 안에 알맞은 수를 써넣으세요.

우리 반에는
∩∩∩∩∩∩∩||||| 권의
학급 문고가 있다.
그중에서 원권이가 추천해 준
∩∩∩∩∩|||||| 번 책인 오성과
한음을 빌려 왔다. 어떤 이야기일지 기대된다.

고대 이집트 수		수 쓰기

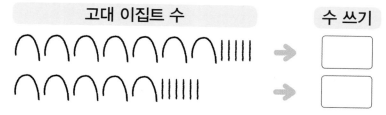

4 종류가 다른 생물이 서로 이익을 주고받는 관계를 공생 관계라고 합니다. 나타내는 수가 같은 주머니를 가지고 있는 공생 관계인 생물끼리 이어 보세요.

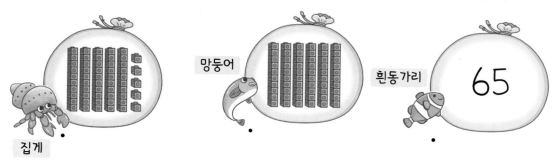

망둥어

흰동가리 65

집게

딱총새우

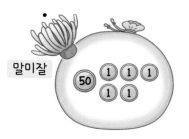

말미잘

1 사이에 있는 수

• 수를 순서대로 세어 보며 두 수 사이에 있는 수를 알아봅니다.

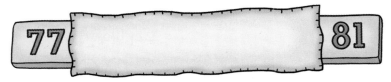

77부터 순서대로 세면 77, 78, 79, 80, 81……이므로 77과 81 사이에 있는 수는 78, 79, 80입니다.

• 책에는 수의 순서대로 쪽수가 쓰여져 있으므로 보이는 쪽수의 사이의 수를 찾아보면 찢어진 쪽수를 알 수 있습니다.

56부터 순서대로 세면 56, 57, 58, 59……입니다. 이 중 57과 58이 없으므로 찢어진 쪽수는 57쪽, 58쪽입니다.

활동 문제 수의 순서대로 구슬을 꿰었습니다. 상자 안에 들어 있는 구슬에 쓰여진 수를 모두 써 보세요.

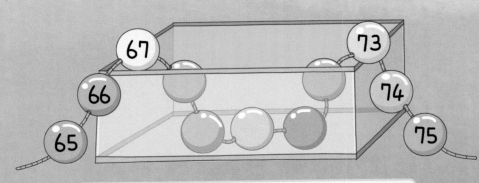

상자 안에 들어 있는 구슬에 쓰여진 수

❷ ★만큼 더 큰 수와 ★만큼 더 작은 수

- ㅣ만큼 더 큰 수: 낱개의 수가 ㅣ개 더 많은 수
- ㅣ만큼 더 작은 수: 낱개의 수가 ㅣ개 더 적은 수
- ㅣ0만큼 더 큰 수: ㅣ0개씩 묶음의 수가 ㅣ개 더 많은 수
- ㅣ0만큼 더 작은 수: ㅣ0개씩 묶음의 수가 ㅣ개 더 적은 수

ㅣ만큼 더 큰 수								ㅣ만큼 더 작은 수	
5ㅣ	52	53	54	55	56	57	58	59	60
6ㅣ	62	63	64	65	66	67	68	69	70
7ㅣ	72	73	74	75	76	77	78	79	80

ㅣ0만큼 더 큰 수 (좌측)

ㅣ0만큼 더 작은 수 (우측)

활동 문제 빈 곳에 알맞은 수를 써넣으세요.

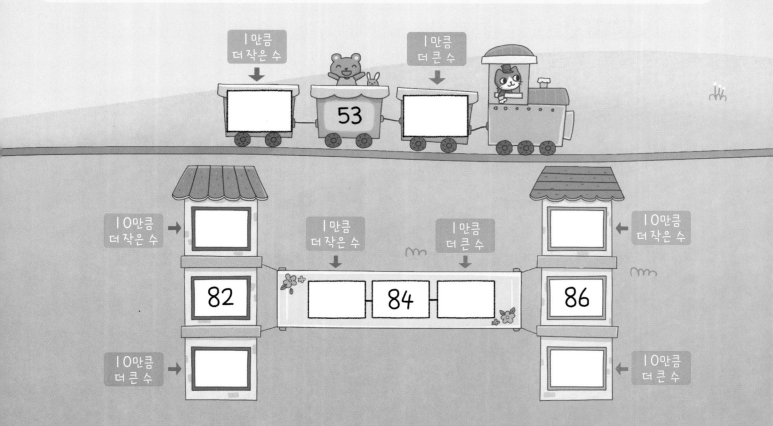

1-1 게임기를 사려는 사람들이 길게 줄을 섰습니다. 줄을 선 순서대로 번호표를 나누어 주었을 때 53번과 59번 사이에 서 있는 사람은 모두 몇 명인지 구해 보세요.

( )

53과 59 사이의 수를 세어 53번과 59번 사이에 몇 명이 있는지 알아봅니다.

1-2 식당에서 번호표 순서대로 자리를 안내해 주고 있습니다. 87번과 91번 사이에는 모두 몇 팀이 있는지 구해 보세요.

(1) 87과 91 사이의 수를 모두 써 보세요.

( )

(2) 87과 91 사이의 수는 모두 몇 개일까요? ( )

(3) 87번과 91번 사이에는 모두 몇 팀이 있을까요? ( )

2-1 할머니의 나이는 72살이고 할아버지는 할머니보다 10살 더 많습니다. 할아버지의 나이는 몇 살인지 구해 보세요.

(   )

- 구하려는 것: 할아버지의 나이
- 주어진 조건: 할머니의 나이는 72살, 할아버지는 할머니보다 10살 더 많음.
- 해결 전략: 10살 더 많으므로 10만큼 더 큰 수를 알아봅니다.

2-2 영진이와 고모의 대화를 읽고 고모의 나이를 구해 보세요.

(   )

2-3 가은이 엄마의 나이가 38살일 때 할머니의 나이를 구해 보세요.

(   )

1 75와 82 사이에 있는 수를 순서대로 □ 안에 써넣으세요.

문제 해결

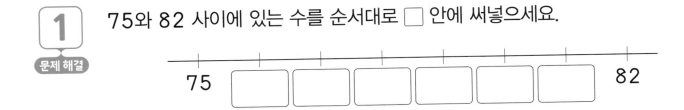

75 [ ] [ ] [ ] [ ] [ ] [ ] 82

2 책꽂이에 전래동화 책을 61번부터 69번까지 꽂았습니다. 빠져 있는 책은 모두 몇 권인지 구해 보세요.

추론

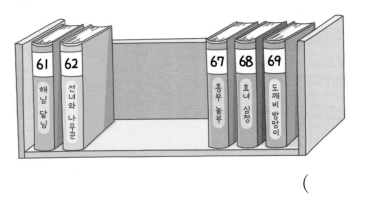

( )

3 ㉠과 ㉡ 사이에 있는 몇십몇은 모두 몇 개인지 구해 보세요.

문제 해결

㉠ 10개씩 묶음이 8개, 낱개의 수가 6개인 수
㉡ 83보다 10만큼 더 큰 수

( )

4

문제 해결

보기 와 같이 수 카드 2장을 한 번씩만 사용하여 몇십몇을 만들 수 있습니다. 59와 73 사이의 몇십몇을 모두 만들려고 합니다. 수 카드가 각각 몇 장씩 필요한지 구해 보세요.

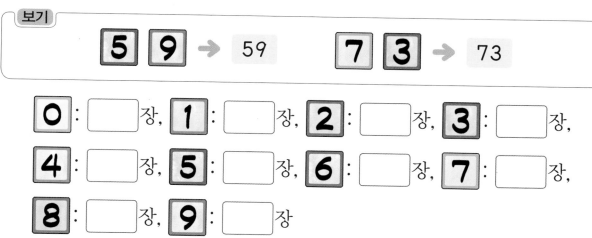

0 : ☐장, **1** : ☐장, **2** : ☐장, **3** : ☐장,

4 : ☐장, **5** : ☐장, **6** : ☐장, **7** : ☐장,

8 : ☐장, **9** : ☐장

5

추론

다음과 같이 51부터 100까지 수의 순서대로 맞춰지는 퍼즐이 있습니다. 규칙을 찾아 퍼즐 조각의 빈 곳에 알맞은 수를 써넣으세요.

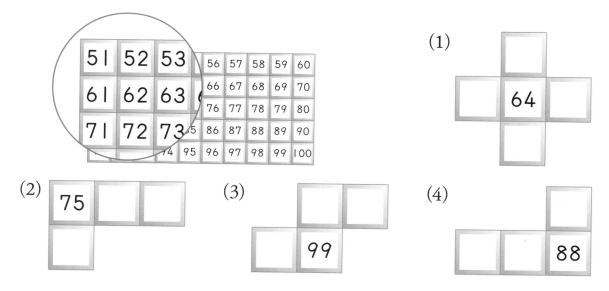

① 수 카드로 몇십몇 만들기

• 수 카드 4 , 6 , 7 로 몇십몇을 만들 수 있습니다.

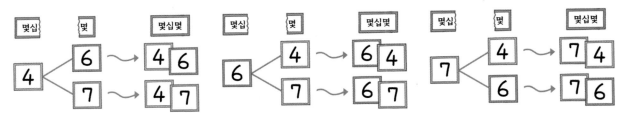

➡ 만들 수 있는 몇십몇은 46, 47, 64, 67, 74, 76으로 모두 6개입니다.

활동 문제 기계에서 나온 구슬 2개를 차례로 놓아 몇십몇이 만들어집니다. 만들어질 수 있는 몇십몇을 빈 곳에 모두 써 보세요.

①

②

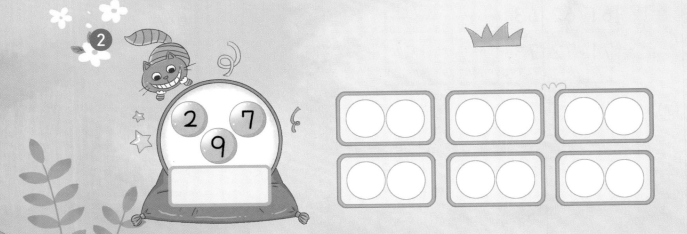

2 수 카드로 만들 수 있는 가장 큰 몇십몇과 가장 작은 몇십몇

몇십몇은 10개씩 묶음의 수가 더 큰 쪽이 큰 수이고 10개씩 묶음의 수가 같으면 낱개의 수가 더 큰 쪽이 큰 수입니다.

가장 큰 몇십몇 만들기
10개씩 묶음의 수와 낱개의 수에 큰 수부터 차례로 놓습니다.

→

가장 작은 몇십몇 만들기
10개씩 묶음의 수와 낱개의 수에 작은 수부터 차례로 놓습니다.

→

활동 문제　3명의 카드 요정 중 2명이 나란히 서서 몇십몇을 만들려고 합니다. 만들 수 있는 가장 큰 몇십몇과 가장 작은 몇십몇을 각각 써 보세요.

1

2

1-1 3장의 수 카드 **6** , **9** , **8** 중에서 2장을 한 번씩만 사용하여 몇십몇을 만들려고 합니다. 만들 수 있는 몇십몇은 모두 몇 개인지 구해 보세요.

(　　　　　　　　)

수 카드 1장을 먼저 골라 10개씩 묶음의 수에 놓고 나머지 수 카드를 낱개의 수에 놓습니다.

1-2 3장의 수 카드 **5** , **7** , **2** 중에서 2장을 한 번씩만 사용하여 몇십몇을 만들려고 합니다. 만들 수 있는 몇십몇은 모두 몇 개인지 구해 보세요.

(1) 빈 곳에 알맞은 수를 써넣으세요.

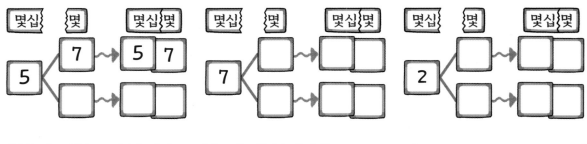

(2) 만들 수 있는 몇십몇은 모두 몇 개일까요?　　(　　　　　　　　)

1-3 오른쪽은 주사위 3개를 던져서 나온 눈의 수입니다. 이 중 2개를 한 번씩만 사용하여 몇십몇을 만들려고 합니다. 만들 수 있는 몇십몇은 모두 몇 개인지 구해 보세요.

(1) 10개씩 묶음의 수가 5인 수 중에서 만들 수 있는 수를 모두 써 보세요.

(　　　　　　　　)

(2) 10개씩 묶음의 수가 6인 수 중에서 만들 수 있는 수를 써 보세요.

(　　　　　　　　)

(3) 만들 수 있는 몇십몇은 모두 몇 개일까요?　　(　　　　　　　　)

2-1 3장의 수 카드 중에서 2장을 한 번씩만 사용하여 몇십몇을 만들려고 합니다. 만들 수 있는 몇십몇 중 가장 작은 수는 얼마인지 구해 보세요.

(　　　　　　　　)

- 구하려는 것: 수 카드로 만들 수 있는 몇십몇 중 가장 작은 수
- 주어진 조건: 5, 8, 0의 수 카드
- 해결 전략: 10개씩 묶음의 수와 낱개의 수에 작은 수부터 차례로 놓습니다.
  이때 몇십몇을 만들어야 하므로 0은 10개씩 묶음의 수에 놓을 수 없습니다.

2-2 3장의 수 카드 중에서 2장을 한 번씩만 사용하여 몇십몇을 만들려고 합니다. 만들 수 있는 몇십몇 중 가장 큰 수는 얼마인지 구해 보세요.

(　　　　　　　　)

2-3 상자 속에 들어 있는 구슬 중 2개를 한 번씩만 사용하여 몇십몇을 만들려고 합니다. 만들 수 있는 몇십몇 중 가장 큰 수와 가장 작은 수를 각각 구해 보세요.

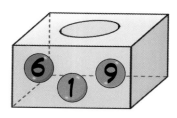

가장 큰 수 (　　　　　　　)

가장 작은 수 (　　　　　　　)

1 문제 해결

3장의 수 카드 중에서 2장을 한 번씩만 사용하여 몇십몇을 만들려고 합니다.
만들 수 있는 몇십몇 중 조건 에 맞는 수를 모두 써 보세요.

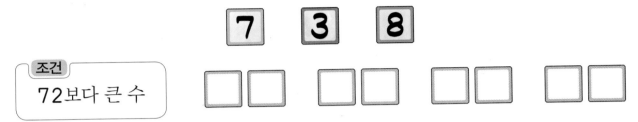

조건
72보다 큰 수

□□ □□ □□ □□

2 문제 해결

10개씩 묶음의 수를 나타내는 빨간색 공과 낱개의 수를 나타내는 파란색 공을
1개씩 뽑아서 몇십몇을 만들려고 합니다. 만들 수 있는 수를 모두 써 보세요.

만들 수 있는 수

▶ 정답 및 해설 5쪽

3 추론

넣은 구슬로 만들 수 있는 가장 큰 몇십몇과 가장 작은 몇십몇이 나오는 상자가 있습니다. 빈 곳에 알맞은 수를 써넣으세요.

(1)

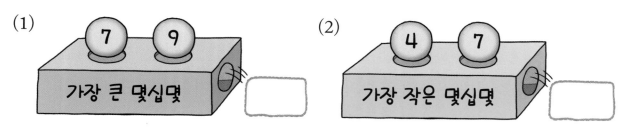

(2)

(3)

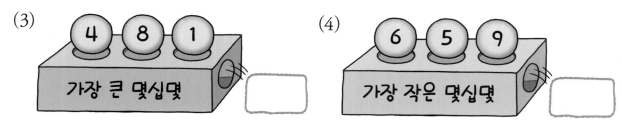

(4)

4 추론

보기 와 같이 주어진 수 카드를 한 번씩만 사용하여 수의 크기 비교가 바르게 되도록 빈 곳에 알맞은 수를 써넣으세요.

(1)

(2)

1 짝수, 홀수 구분하기

짝수		2		4		6		8		10		12		14		16		18		20
홀수	1		3		5		7		9		11		13		15		17		19	

- 수를 순서대로 쓰면 홀수와 짝수가 번갈아가며 나옵니다.
- 수를 순서대로 쓰면 홀수끼리 2씩, 짝수끼리 2씩 뛰어 셀 수 있습니다.
- 낱개의 수가 1, 3, 5, 7, 9이면 홀수이고 낱개의 수가 2, 4, 6, 8, 0이면 짝수입니다.

활동 문제 홀수를 따라가면 도착하게 되는 곳에 ○표 하세요.

❷ 조건에 맞는 수 찾기

주어진 조건 을 하나씩 확인하여 조건 에 맞는 수의 범위를 좁혀가며 찾아봅니다.

예 **조건**
- 78보다 큰 수입니다.
- 82보다 작은 수입니다.
- 짝수입니다.

→ 78보다 크고 82보다 작은 수는 78과 82 사이의 수로 79, 80, 81입니다. 이 중 짝수는 낱개의 수가 0인 80입니다.

활동 문제 가로 열쇠와 세로 열쇠를 보고 퍼즐을 완성해 보세요.

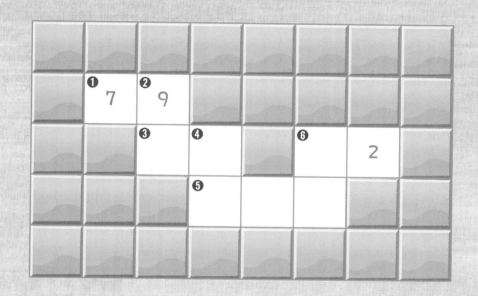

🔑 **가로 열쇠**

❶ 10개씩 묶음의 수가 7인 몇십몇 중에서 가장 큰 수입니다.

❸ 몇십몇 중에서 가장 큰 짝수입니다.

❺ 99 다음의 수입니다.

🔑 **세로 열쇠**

❷ 몇십몇 중에서 가장 큰 수입니다.

❹ 80보다 1만큼 더 큰 수입니다.

❻ 59보다 1만큼 더 큰 수입니다.

1-1 조건 에 맞는 몇십몇을 모두 구해 보세요.

> 조건
> • 56보다 크고 61보다 작은 수입니다.
> • 홀수입니다.

(   )

주어진 조건 을 하나씩 확인하고 조건 에 맞는 수의 범위를 좁혀가며 찾아봅니다.

1-2 조건 에 맞는 몇십몇을 모두 구해 보세요.

> 조건
> • 67보다 크고 75보다 작은 수입니다.
> • 10개씩 묶음의 수는 낱개의 수보다 큽니다.

(1) 67보다 크고 75보다 작은 수를 모두 써 보세요.

(   )

(2) (1)에서 쓴 수 중에서 10개씩 묶음의 수가 낱개의 수보다 큰 수를 모두 써 보세요. (   )

1-3 조건 에 맞는 몇십몇을 모두 구해 보세요.

> 조건
> • 51보다 크고 63보다 작은 수입니다.
> • 10개씩 묶음의 수와 낱개의 수를 더하면 7입니다.

(1) 51보다 크고 63보다 작은 수를 모두 써 보세요.

(   )

(2) (1)에서 쓴 수 중에서 10개씩 묶음의 수와 낱개의 수를 더하면 7이 되는 수를 모두 써 보세요. (   )

2-1 달력을 보고 이달에 홀수인 날이 모두 며칠 있는지 세어 보세요.

일	월	화	수	목	금	토
					1	2
3	4	5	6	7	8	9
10	11	12	13	14	15	16
17	18	19	20	21	22	23
24	25	26	27	28	29	30
31						

10월

(   )

- 구하려는 것: 홀수인 날수
- 주어진 조건: 10월 달력
- 해결 전략: 1일부터 31일까지 중에서 낱개의 수가 1, 3, 5, 7, 9인 날이 모두 며칠인지 세어 봅니다.

2-2 수영이네 반은 짝수 번호와 홀수 번호가 번갈아가며 청소를 합니다. 어제는 11번인 수영이가 청소를 했습니다. 수영이네 모둠 친구 중 오늘 청소를 하는 친구를 모두 찾아 이름을 써 보세요.

성원 9번   은수 14번   여진 22번   수영 11번   가은 17번

(   )

1 주어진 수를 홀수 주머니와 짝수 주머니에 알맞게 모두 써넣으세요.

문제 해결

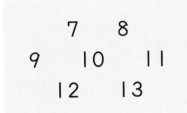

2 다음 중 홀수인 것을 모두 찾아 기호를 써 보세요.

문제 해결

ㄱ 육십오　　　　　ㄴ 10개씩 묶음 2개와 낱개 8개인 수
ㄷ 아흔아홉　　　　ㄹ 42보다 10만큼 더 큰 수

(　　　　　　　　　　　)

3 다음 규칙에 따라 색칠해 보세요.

코딩

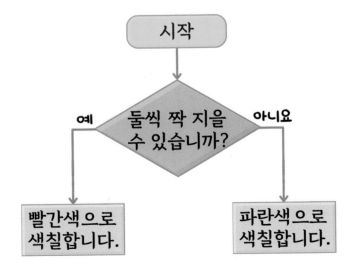

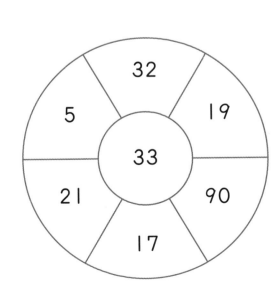

4 문제 해결

주어진 수를 보기 와 같이 알맞은 자리에 모두 써넣으세요.

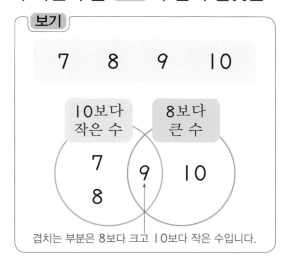

54   60   70   82   92

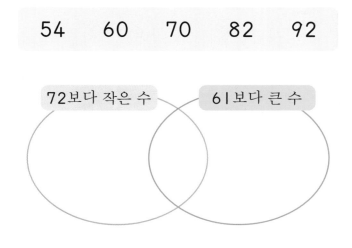

5 창의·융합

전광판에 나온 세 수의 공통점을 찾아보고 ☐ 안에 알맞은 말이나 수를 보기 에서 찾아 써넣으세요.

보기

| 큽니다 | 같습니다 | 작습니다 | 합 | 차 |

| 짝수 | 홀수 | 1 | 9 | 10 |

(1)

(2)

1 사다리 타기

사다리를 타고 내려가면서 만나는 계산식을 차례로 계산합니다.

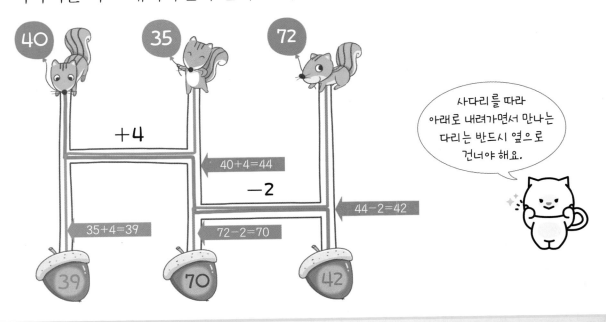

사다리를 따라 아래로 내려가면서 만나는 다리는 반드시 옆으로 건너야 해요.

활동 문제　사다리를 타고 내려가서 빈 곳에 알맞은 수를 써넣으세요.

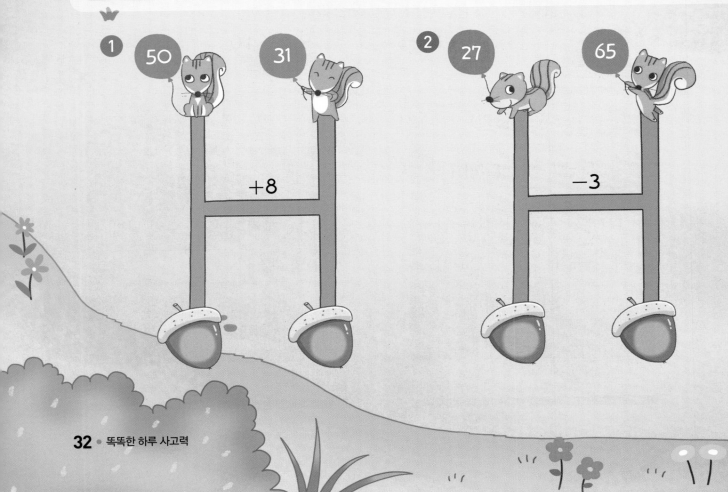

2 규칙에 따라 분류하여 계산하기

규칙 같은 모양에 적힌 수의 합 또는 같은 색에 적힌 수의 합을 구하는 규칙입니다.

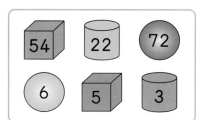

예 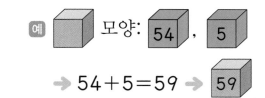 모양: 54 , 5

→ 54+5=59 → 59

① 같은 모양 찾아 계산하기

모양: 22 , 3 → 22+3=25 → 25

모양: 72 , 6 → 72+6=78 → 78

② 같은 색 찾아 계산하기

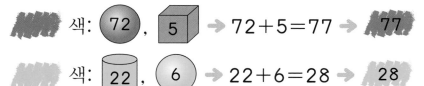

색: 72 , 5 → 72+5=77 → 77

색: 22 , 6 → 22+6=28 → 28

활동 문제 낙엽을 각각 분류하여 계산해 보세요.

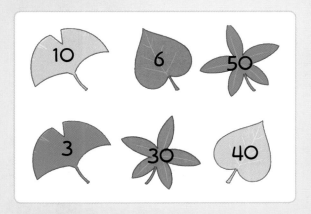

1 같은 모양 낙엽을 찾아 합을 구해 써넣으세요.

2 같은 색 낙엽을 찾아 합을 구해 써넣으세요.

1-1 오른쪽에서 사다리를 타고 내려간 곳을 ㉠ 과 ㉡이라고 할 때 이 중에서 더 큰 수의 기호를 써 보세요.

(   )

사다리를 타고 내려가면서 만나는 계산식을 계산하여 ㉠과 ㉡을 구하고 두 수의 크기를 비교합니다.

1-2 사다리를 타고 내려간 곳을 ㉠, ㉡, ㉢이라고 할 때 이 중에서 계산 결과가 가장 큰 것을 찾아 기호를 써 보세요.

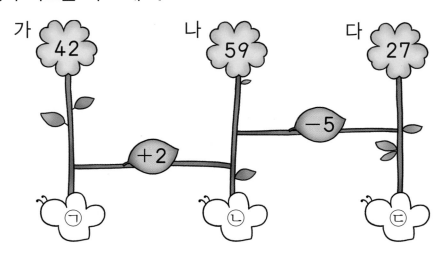

(1) 사다리를 타고 내려갔을 때 도착하는 곳의 기호와 결과를 구해 보세요.

출발점	가	나	다
도착 하는 곳			
계산 결과			

(2) ㉠, ㉡, ㉢ 중에서 계산 결과가 가장 큰 것의 기호를 써 보세요.

(   )

2-1 벽돌을 규칙 에 따라 쌓으려고 합니다. 빈 곳에 알맞은 수를 써넣으세요.

규칙

나란히 놓인 두 칸에 쓰인 수의
합을 아래 칸에 쓰는 규칙입니다.

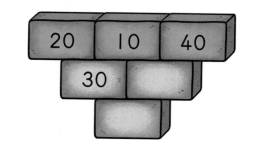

- 구하려는 것: 규칙에 따라 빈 곳에 알맞은 수 써넣기
- 주어진 조건: 벽돌을 쌓는 규칙, 가장 윗줄의 수
- 해결 전략: 다음과 같은 규칙으로 아래 칸에 알맞은 수를 구해 봅니다.

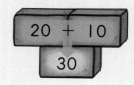

2-2 벽돌을 규칙 에 따라 쌓으려고 합니다. 빈 곳에 알맞은 수를 써넣으세요.

규칙

나란히 놓인 두 칸에 쓰인 수의
차를 아래 칸에 쓰는 규칙입니다.

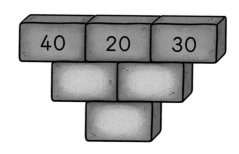

2-3 ♥는 상자에 써 있는 두 수의 합을 구하고 ◆는 상자에 써 있는 두 수의 차를
구하는 규칙입니다. 빈 곳에 알맞은 수를 써넣으세요.

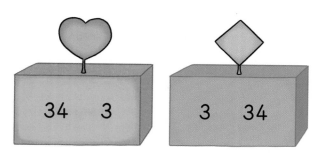

1 가장 아랫줄부터 선으로 연결된 순서에 따라 계산하는 규칙입니다. 빈 곳에 알맞은 수를 써넣으세요.

문제 해결

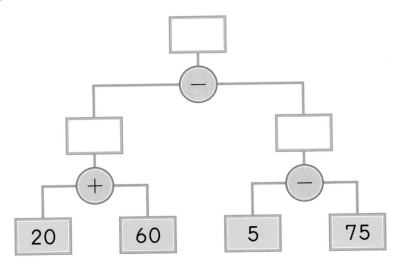

2 보기 와 같은 규칙으로 빈 곳에 알맞은 수를 써넣으세요.

추론

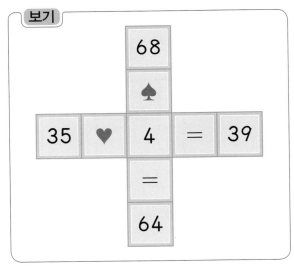

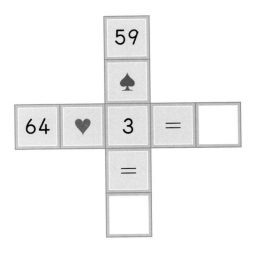

3 창의·융합 사다리를 타고 내려가서 빈 곳에 알맞은 수를 써넣으세요.

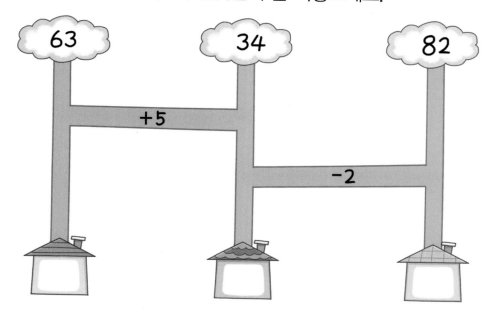

4 추론 규칙을 찾아 □ 안에 알맞은 수를 써넣으세요.

69	
60	9

60	
40	20

70	
50	

7	12

39	
8	

1 동화책 77쪽을 읽고 있습니다. 77쪽부터 이어질 내용을 찾아 순서대로 이어 보세요.

창의·융합

2 문에 알맞은 열쇠를 각각 찾아 열쇠 구멍과 이어 보세요. 문제 해결

20보다 크고
24보다
작은 수 중에서
짝수

10개씩
묶음의 수가
8인 수 중에서
가장 작은 수

10개씩 묶음
5개와
낱개 13개인 수

95보다
10만큼
더 작은 수

3 현정이가 수학 문제집을 62쪽부터 70쪽까지 풀었습니다. 현정이가 푼 쪽수를 모두 써 보세요. 창의·융합

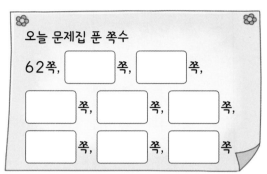

오늘 문제집 푼 쪽수

62쪽, ⬚쪽, ⬚쪽,

⬚쪽, ⬚쪽, ⬚쪽,

⬚쪽, ⬚쪽, ⬚쪽

4 저금통에 들어 있는 돈은 얼마인지 구해 보세요. 창의·융합

❶
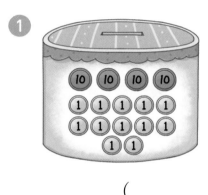

(　　　　　)

❷
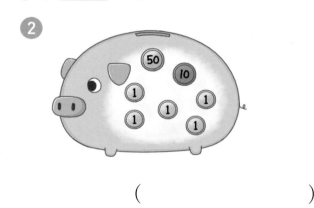

(　　　　　)

5 꽃잎의 수를 ⬚ 안에 써넣고, 꽃잎을 둘씩 짝 지을 수 있으면 ○표, 짝 지을 수 없으면 ✕표 하세요. 문제 해결

❶

(　　　)

❷

(　　　)

6 드론이 가지고 온 수 카드 4장 중에서 2장을 한 번씩만 사용하여 만들 수 있는 몇십몇을 구름에 모두 써 보세요. 문제 해결

7 맛나 베이커리 냉장고 안의 모습을 보고 물음에 답하세요. 문제 해결

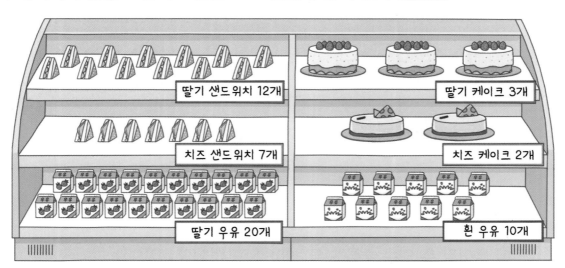

딸기 샌드위치 12개

딸기 케이크 3개

치즈 샌드위치 7개

치즈 케이크 2개

딸기 우유 20개

흰 우유 10개

① 딸기가 들어간 샌드위치와 케이크는 모두 몇 개인지 구해 보세요.

(   )

② 샌드위치가 모두 몇 개인지 구해 보세요.

(   )

③ 우유가 모두 몇 개인지 구해 보세요.

(   )

8 규칙을 찾아 빈 곳에 알맞은 수를 써넣으세요. 추론

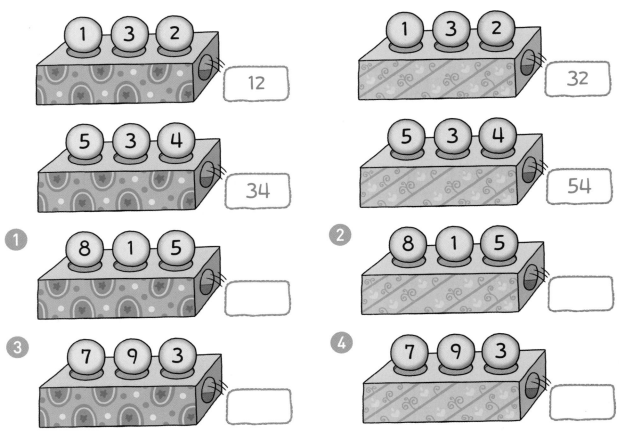

9 □ 안에 들어갈 수 있는 수를 모두 찾아 ○표 하세요. 문제 해결

① 65<6□ ➡ 0 1 2 3 4 5 6 7 8 9

② 54<□0 ➡ 0 1 2 3 4 5 6 7 8 9

③ 82<□5 ➡ 0 1 2 3 4 5 6 7 8 9

10 수의 순서대로 움직이는 로봇이 있습니다. 이 로봇이 모든 칸을 한 번씩 지나서 도착 점까지 갈 수 있도록 빈 곳에 알맞은 수를 써넣으세요. 문제 해결

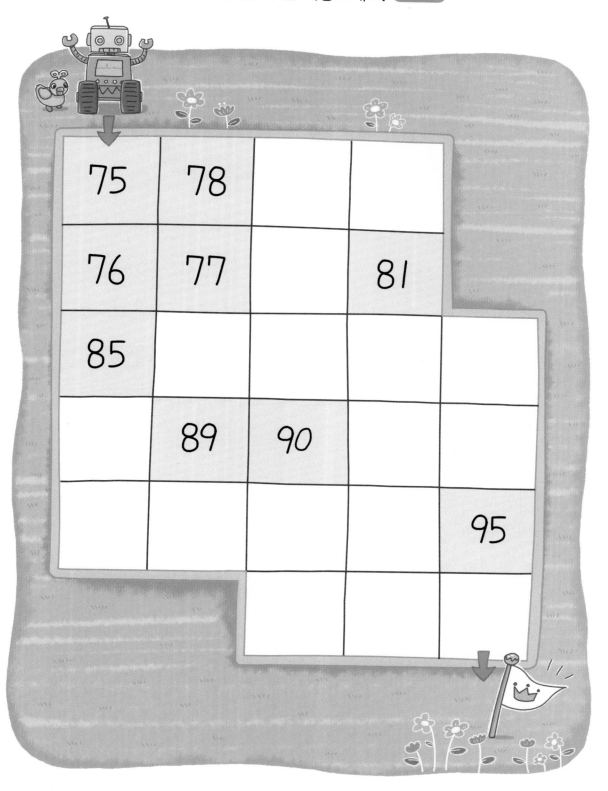

1 동전 지갑에 들어 있는 돈은 얼마인지 구해 보세요.

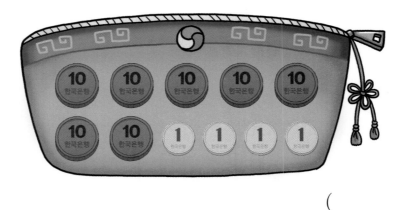

(   )

2 수를 순서대로 세어 보며 두 수 사이에 있는 수를 모두 써 보세요.

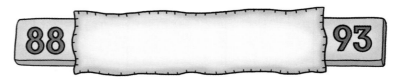

3 할아버지의 나이는 65살이고 할머니는 할아버지보다 10살 더 적습니다. 할머니의 나이는 몇 살인지 구해 보세요.

(   )

4 ㉠과 ㉡ 사이에 있는 몇십몇은 모두 몇 개인지 구해 보세요.

> ㉠ 10개씩 묶음이 5개, 낱개의 수가 9개인 수
> ㉡ 66보다 1만큼 더 작은 수

(   )

5 3장의 수 카드 중에서 2장을 한 번씩만 사용하여 몇십몇을 만들려고 합니다. 만들 수 있는 몇십몇을 모두 써 보세요.

(   )

6 상자 속에 들어 있는 구슬 중 2개를 한 번씩만 사용하여 몇십몇을 만들려고 합니다. 만들 수 있는 몇십몇 중에서 가장 큰 수와 가장 작은 수를 각각 구해 보세요.

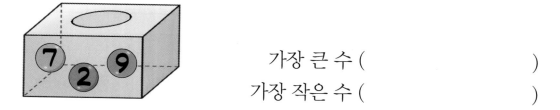

가장 큰 수 (   )
가장 작은 수 (   )

7 주어진 수를 각각의 주머니에 알맞게 모두 써넣으세요.

8 사다리를 타고 내려가서 빈 곳에 알맞은 수를 써넣으세요.

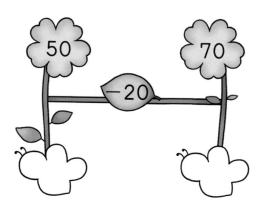

만화로 미리 보기

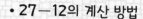

• 27−12의 계산 방법

$$\begin{array}{r} 27 \\ -12 \\ \hline \end{array} \rightarrow \begin{array}{r} 27 \\ -2 \\ \hline 5 \end{array} \rightarrow \begin{array}{r} 27 \\ -12 \\ \hline 15 \end{array}$$

27−12의 세로 형식의
계산 방법은?
① 자리를 맞추어 쓴다.
② 낱개끼리 빼면 7−2=5이다.
③ 10개씩 묶음끼리 빼면
2−1=1이다.

똘똘이는 ■, ▲, ● 모양을 구분할 수 있어.

똘똘아~ 뾰족한 곳과 편평한 선이 4군데씩 있는 모양을 찾아와 봐!

멍~!!

우아~ 그럼 뾰족한 곳과 편평한 선이 3군데씩 있는 것은?

멍~!!

마지막으로 뾰족한 곳이 없고 둥근 부분만 있는 물건은?

멍~!!

헐!

어때! 똘똘이는 천재 개가 맞지?

천재 개 인정할게!

그런데 소변을 못 가려. ㅠㅠ

천재 개 취소!

2주

2주 에는 무엇을 공부할까? ②

- 덧셈과 뺄셈

$$
\begin{array}{r} 2\ 4 \\ +\ 1\ 3 \\ \hline 3\ 7 \end{array}
\qquad
\begin{array}{r} 5\ 6 \\ -\ 2\ 4 \\ \hline 3\ 2 \end{array}
$$

> 낱개끼리, 10개씩 묶음끼리
> 계산합니다.

- ■ 모양, ▲ 모양, ● 모양 알기

■ 모양   ▲ 모양   ● 모양

확인 문제

1-1 두 수의 합과 차를 구해 보세요.

| 32 | 55 |

합 (   )

차 (   )

한번 더

1-2 두 수의 합과 차를 구해 보세요.

| 74 | 21 |

합 (   )

차 (   )

2-1 ■ 모양을 찾아 색칠하세요.

2-2 ▲ 모양을 찾아 색칠하세요.

3-1 어떤 모양의 부분을 나타낸 그림입니다. 어떤 모양인지 찾아 ○표 하세요.

3-2 어떤 모양의 부분을 나타낸 그림입니다. 어떤 모양인지 찾아 ○표 하세요.

•  모양, △ 모양, ● 모양의 특징

● 모양은 뾰족한 곳이 없고 둥근 부분만 있어요!

	뾰족한 곳	편평한 선	둥근 부분
■ 모양	4군데	4군데	없습니다.
△ 모양	3군데	3군데	없습니다.
● 모양	없습니다.	없습니다.	있습니다.

확인 문제   **한번 더**

4-1 설명하는 모양을 찾아 ○표 하세요.

> 편평한 선으로 이루어진 모양이고 뾰족한 곳이 모두 4군데 있습니다.

(■ , △ , ●)

4-2 설명하는 모양을 찾아 ○표 하세요.

> 뾰족한 곳이 없고 둥근 부분만 있습니다.

(■ , △ , ●)

5-1 다음 모양을 꾸미는 데 가장 많이 이용한 모양에 ○표 하세요.

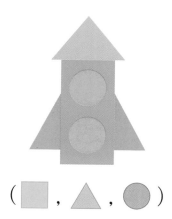

(■ , △ , ●)

5-2 다음 모양을 꾸미는 데 가장 적게 이용한 모양에 ○표 하세요.

(■ , △ , ●)

1 올바른 계산이 되는 길 찾기-모든 경우 생각하기

방법1 ①, ②, ③의 길로 각각 갔을 때를 계산하여 길을 찾아봅니다.

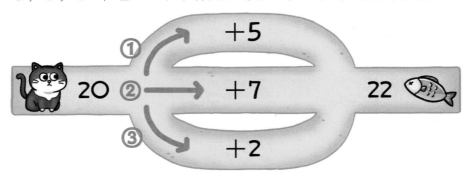

① 20＋5＝25 　　② 20＋7＝27 　　③ 20＋2＝22

➡ ③의 길로 가야 올바른 계산이 됩니다.

활동 문제 　토끼와 다람쥐가 올바른 계산이 되는 길을 따라가 먹이를 먹을 수 있도록 도와주세요.

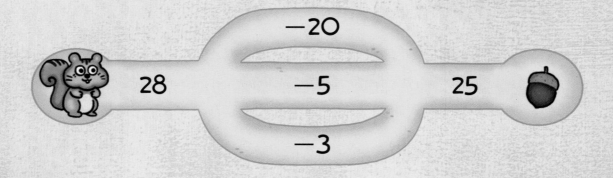

2 올바른 계산이 되는 길 찾기-조건에 맞는 길 생각하기

방법2 20에 얼마를 더해야 22가 될지 생각하여 길을 찾아봅니다.

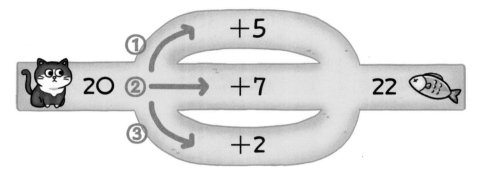

20과 22의 10개씩 묶음의 수는 같고, 낱개의 수가 2만큼 커졌으므로 20에 2를 더해야 22가 됩니다.

➡ 2를 더하는 ③의 길로 가면 올바른 계산이 됩니다.

활동 문제 강아지와 고양이가 올바른 계산이 되는 길을 따라가 먹이를 먹을 수 있도록 도와 주세요.

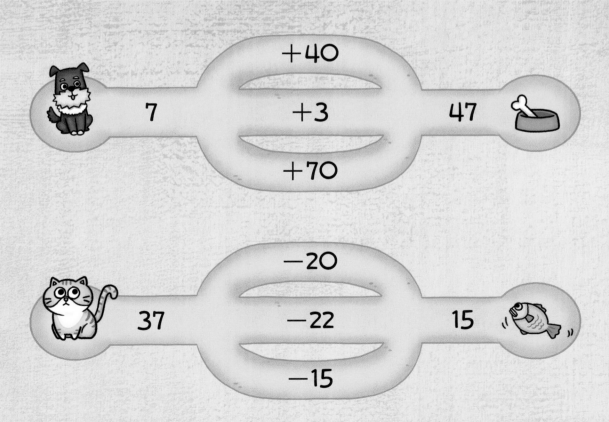

1-1 주머니에서 수를 하나씩 골라 덧셈식을 만들어 보세요.

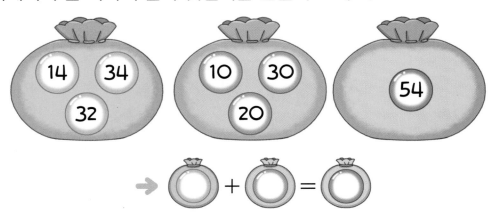

$$\bigcirc + \bigcirc = \bigcirc$$

초록색 주머니에는 54 뿐이므로 분홍색 주머니의 수와 파란색 주머니의 수를 더해서 54가 되는 경우를 찾아봅니다.

1-2 주머니에서 수를 하나씩 골라 뺄셈식을 만들어 보세요.

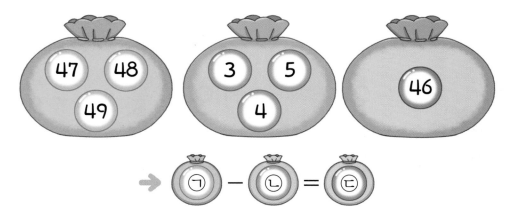

$$ⓐ - ⓑ = ⓒ$$

(1) ⓒ에 알맞은 수를 구해 보세요. (   )

(2) 분홍색 주머니의 수와 파란색 주머니의 수의 차가 46이 되는 두 수를 찾아보세요. (   )

(3) 빈 곳에 알맞은 수를 써넣으세요.

$$\bigcirc - \bigcirc = \bigcirc$$

2-1 다람쥐가 지나는 길에 있는 도토리를 모두 주워 왔습니다. 다람쥐가 도착 지점에 왔을 때 주운 도토리는 모두 27개였습니다. 다람쥐가 지나온 길을 나타내어 보세요.

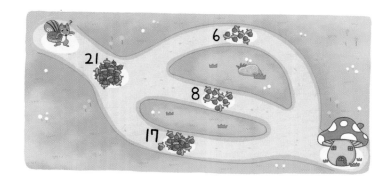

- 구하려는 것: 주운 도토리가 27개가 되도록 가는 길
- 주어진 조건: 길에 있는 도토리 수, 주운 도토리의 수
- 해결 전략: ❶ 처음 줍게 되는 도토리의 수 알아보기
  ❷ 몇 개를 더 주우면 27개가 되는지 구하기
  ❸ 어느 길을 따라가야 하는지 알아보기

2-2 방망이에 적힌 수만큼 금화를 빼앗기는 도깨비 길이 있습니다. 금화 87개를 가지고 있던 은호가 도깨비 길을 지나왔을 때에는 금화 57개가 남았습니다. 은호가 지나온 길을 나타내어 보세요.

1
문제 해결

풍선에 있는 수의 합이 꿀벌이 들고 있는 수와 같게 하려고 합니다. 필요 없는 풍선에 ×표 하여 터뜨려 보세요.

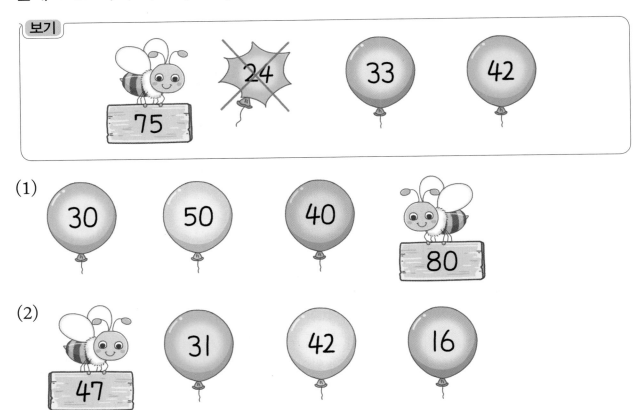

2
추론

지나가는 길에 있는 콩을 모두 줍고 주운 차례로 콩깍지에 놓으려고 합니다. 콩깍지에 놓은 콩들이 올바른 계산식이 되는 길을 따라 선을 긋고 콩깍지의 빈 곳에 알맞게 써넣으세요.

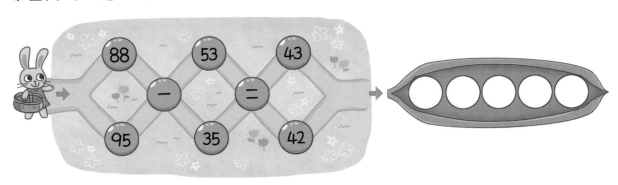

3
문제 해결

보기 와 같이 주어진 조각을 표에 놓았을 때 올바른 계산식이 되는 곳을 찾아 색칠해 보세요. (단, 조각을 돌리거나 뒤집어서 놓을 수 없습니다.)

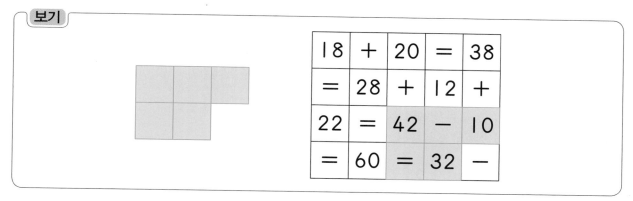

18	+	20	=	38
=	28	+	12	+
22	=	42	−	10
=	60	=	32	−

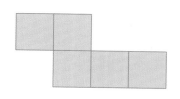

22	−	11	=	11
+	56	−	15	=
30	+	21	=	35
−	10	=	20	=

4
창의 · 응합

보기 와 같이 파이프의 마개를 닫아 물이 넘치지 않게 가득 받으려고 합니다. 닫아야 하는 파이프의 마개를 찾아 표시해 보세요.

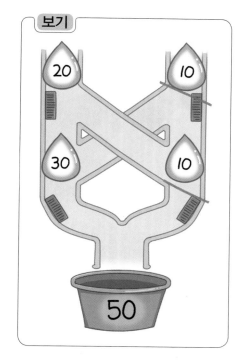

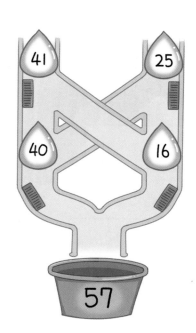

❶ (몇십몇)＋(몇), (몇십몇)－(몇)

2 **4** **5**

합이 가장 큰 덧셈식	합이 가장 작은 덧셈식	차가 가장 큰 뺄셈식
가장 큰 수 카드를 몇십몇의 10개씩 묶음의 수에 놓기	가장 작은 수 카드를 몇십몇의 10개씩 묶음의 수에 놓기	가장 큰 수 카드와 두 번째로 큰 수 카드를 차례로 놓아 가장 큰 몇십몇 만들기
5 4 ＋ **2** **5 2** ＋ **4**	**2 4** ＋ **5** **2 5** ＋ **4**	**5 4** － **2** 가장 크게 가장 작게

활동 문제 주어진 수 카드를 한 번씩 사용하여 조건에 맞는 식을 만들고 계산해 보세요.

❶ **3 5 1**

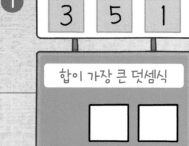

합이 가장 큰 덧셈식

＋

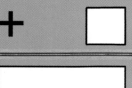

❷ **3 5 1**

합이 가장 작은 덧셈식

＋

❸ **3 5 1**

차가 가장 큰 뺄셈식

－

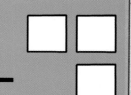

❹ **2 7 8**

합이 가장 큰 덧셈식

□□ ＋ □ ＝ □

② (몇십몇)＋(몇십몇), (몇십몇)－(몇십몇)

| 1 | 2 | 3 | 4 |

합이 가장 큰 덧셈식	합이 가장 작은 덧셈식	차가 가장 큰 뺄셈식
가장 큰 수 카드와 두 번째로 큰 수 카드를 각각 10개씩 묶음의 수에 놓기	가장 작은 수 카드와 두 번째로 작은 수 카드를 각각 10개씩 묶음의 수에 놓기	① 빼어지는 수 가장 큰 수 카드와 두 번째로 큰 수 카드를 차례로 놓아 가장 큰 몇십몇 만들기 ② 빼는 수 가장 작은 수 카드와 두 번째로 작은 수 카드를 차례로 놓아 가장 작은 몇십몇 만들기
4 2 ＋ 3 1 4 1 ＋ 3 2 3 2 ＋ 4 1 3 1 ＋ 4 2 └ 합이 가장 클 때는 73	1 3 ＋ 2 4 1 4 ＋ 2 3 2 3 ＋ 1 4 2 4 ＋ 1 3 └ 합이 가장 작을 때는 37	4 3 － 1 2 가장 크게 　 가장 작게

활동 문제 　주어진 수 카드를 한 번씩 사용하여 조건에 맞는 식을 만들고 계산해 보세요.

❶

| 3 | 5 |
| 4 | 1 |

합이 가장 큰 덧셈식

❷

❸

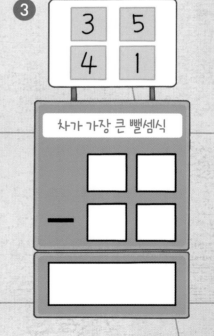

1-1 수 카드 중에서 2장을 골라 합이 가장 큰 덧셈식을 만들고 계산해 보세요.

| 42 | 17 | 36 | 20 |

➡ □ + □ = □

더 큰 수를 더할수록 합이 커지고, 더 작은 수를 더할수록 합이 작아집니다.

1-2 수 카드 중에서 2장을 골라 합이 가장 작은 덧셈식을 만들고 계산해 보세요.

| 15 | 27 | 4 | 50 |

(1) 합이 가장 작은 덧셈식은 가장 (큰 , 작은) 수와 두 번째로 (큰 , 작은)
　　수를 더해야 합니다.

(2) 합이 가장 작은 덧셈식을 만들고 계산해 보세요.

□ + □ = □

1-3 수 카드 중에서 2장을 골라 차가 가장 큰 뺄셈식을 만들고 계산해 보세요.

| 64 | 32 | 21 | 55 |

수 카드 중에서 가장 큰 수는 □ 이고, 가장 작은 수는 □ 입니다.

따라서 차가 가장 큰 뺄셈식은 □ − □ = □ 입니다.

2-1 수 카드 4장 중 2장을 한 번씩만 사용하여 몇십몇을 만들려고 합니다. 만들 수 있는 가장 큰 몇십몇과 가장 작은 몇십몇의 차를 구해 보세요.

5 2 7 8

(   )

- 구하려는 것: 만들 수 있는 가장 큰 몇십몇과 가장 작은 몇십몇의 차
- 주어진 조건: 수 카드 4장
- 해결 전략: ❶ 주어진 수 카드로 가장 큰 몇십몇 만들기
  ❷ 주어진 수 카드로 가장 작은 몇십몇 만들기
  ❸ 만든 몇십몇의 차 구하기

2-2 수 카드 4장 중 2장을 한 번씩만 사용하여 몇십몇을 만들려고 합니다. 만들 수 있는 가장 작은 몇십몇과 두 번째로 작은 몇십몇의 합을 구해 보세요.

1 5 3 6

(   )

2-3 수 카드 4장 중 2장을 한 번씩만 사용하여 몇십을 만들려고 합니다. 만들 수 있는 가장 작은 몇십과 두 번째로 작은 몇십의 합을 구해 보세요.

4 8 0 2

(   )

1 수 카드 중에서 2장을 골라 차가 가장 작은 뺄셈식을 만들고 계산해 보세요.

문제 해결

| 22 | 96 | 32 | 85 |

(1) 수 카드를 큰 수부터 차례로 놓고 이웃한 두 수의 차를 구해 보세요.

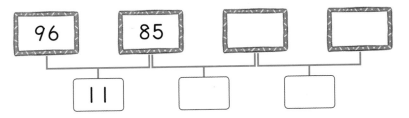

| 96 | 85 | | |

| 11 | | |

(2) 차가 가장 작은 뺄셈식을 만들고 계산해 보세요.

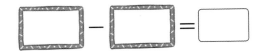

☐ − ☐ = ☐

2 보기 와 같이 종이를 한 번 잘라서 몇십몇과 몇을 만들 수 있습니다. 만든 두 수의 합이 가장 크게 되도록 자르는 곳을 표시하고 합을 구해 보세요.

추론

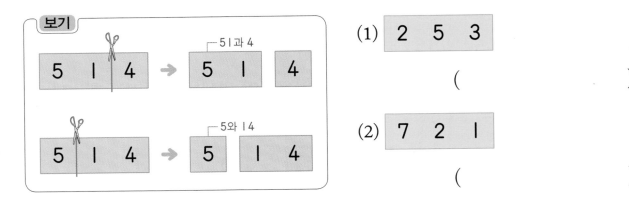

보기

51과 4
5 1 4 → 5 1 4

5와 14
5 1 4 → 5 1 4

(1)

| 2 | 5 | 3 |

(   )

(2)

| 7 | 2 | 1 |

(   )

▶ 정답 및 해설 11쪽

3 창의·융합

수가 쓰여 있는 흰 종이와 구멍이 뚫린 색종이가 있습니다. 이 색종이를 돌리거나 그대로 옮겨 흰 종이 위에 딱 맞게 올렸을 때 보이는 두 수의 합을 구하려고 합니다. 보이는 두 수의 합이 가장 큰 때는 얼마인지 구해 보세요.

25	31	10
50	11	20
99	82	63

(   )

4 추론

주머니에 들어 있는 보석 중에서 5개를 골라 보석 상자의 빈 자리에 넣으려고 합니다. 계산 결과가 가장 크게 되도록 보석을 넣고 계산해 보세요.

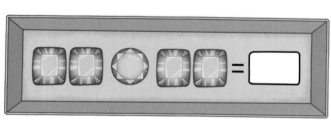

1 구멍 뚫린 계산

10개씩 묶음의 수끼리, 낱개의 수끼리 계산하여 빈 곳에 알맞은 수를 구합니다.

예
```
   3 4
 + 1 ○
 ─────
   4 8
```
➡ 4+○=8에서 4+4=8이므로
○에 알맞은 수는 4입니다.

예
```
   8 7
 - ○ 3
 ─────
   5 4
```
➡ 8-○=5에서 8-3=5이므로
○에 알맞은 수는 3입니다.

활동 문제 │ 벌레가 먹은 곳에 알맞은 수를 써넣으세요.

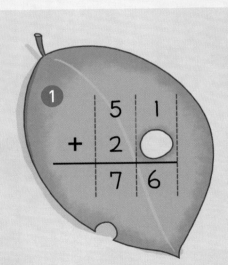

1
```
   5 1
 + 2 ○
 ─────
   7 6
```

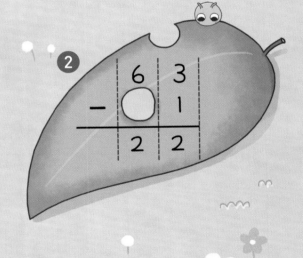

2
```
   6 3
 - ○ 1
 ─────
   2 2
```

3
```
   3 7
 - 2 ○
 ─────
   1 6
```

4
```
   4 2
 + ○ 5
 ─────
   7 7
```

2 그림이 나타내는 수 구하기

10개씩 묶음의 수끼리, 낱개의 수끼리 계산하여 그림이 나타내는 수를 구합니다.

예 53+☁=68

$$\begin{array}{r} 5\ 3 \\ +\ ☁ \\ \hline 6\ 8 \end{array}$$

10개씩 묶음의 수: 5+1=6
낱개의 수: 3+5=8 → ☁=15

예 79-☁=13

$$\begin{array}{r} 7\ 9 \\ -\ ☁ \\ \hline 1\ 3 \end{array}$$

10개씩 묶음의 수: 7-6=1
낱개의 수: 9-6=3 → ☁=66

활동 문제 달팽이가 먹은 곳에 알맞은 수를 써넣으세요.

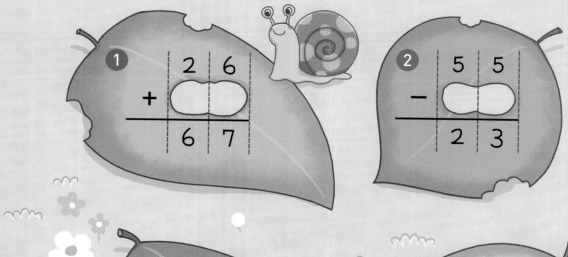

① $\begin{array}{r} 2\ 6 \\ +\ \square\ \square \\ \hline 6\ 7 \end{array}$

② $\begin{array}{r} 5\ 5 \\ -\ \square\ \square \\ \hline 2\ 3 \end{array}$

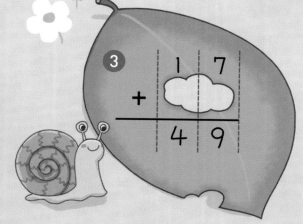

③ $\begin{array}{r} 1\ 7 \\ +\ \square\ \square \\ \hline 4\ 9 \end{array}$

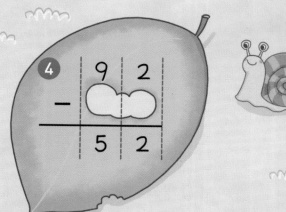

④ $\begin{array}{r} 9\ 2 \\ -\ \square\ \square \\ \hline 5\ 2 \end{array}$

1-1 🌙, ☀에 알맞은 수를 구해 보세요.

```
  4 1
+ 🌙 6
─────
  7 ☀
```

🌙 (   )

☀ (   )

10개씩 묶음의 수끼리, 낱개의 수끼리 계산하여 가려진 수를 구합니다.

1-2 🌸, ⭐에 알맞은 수를 구해 보세요.

```
  5 3
+ 2 🌸
─────
  ⭐ 9
```

(1) 🌸에 알맞은 수를 구해 보세요.　　　　　　(   )

(2) ⭐에 알맞은 수를 구해 보세요.　　　　　　(   )

1-3 💗, ☀에 알맞은 수를 구해 보세요.

```
  6 5
- 💗 0
─────
    ☀
```

낱개의 수끼리 계산하면 5−0=☀이므로 ☀=☐입니다.

10개씩 묶음의 수끼리 계산하면 6−💗=☐이므로 💗=☐입니다.

2-1 현영이네 반에서 우유를 마시는 학생은 23명입니다. 우유 통에 우유가 11개 남아 있습니다. 학생들이 가져간 우유는 몇 개인지 구해 보세요.

우유가 11개 남았네. 몇 명이 가져간 거지?

(   )

- 구하려는 것: 가져간 우유의 수
- 주어진 조건: 우유를 마시는 학생 수, 우유 통에 남은 우유의 수
- 해결 전략: ❶ 모르는 수가 있는 식 만들기
  ❷ 10개씩 묶음의 수끼리, 낱개의 수끼리 계산하여 모르는 수 구하기

2-2 연정이네 가족은 과수원에서 사과 따기 체험을 했습니다. 동생이 딴 사과는 몇 개인지 구해 보세요.

저는 17개 땄어요!

난 열 몇 개 딴 거 같은데……

너희 둘이 딴 사과가 모두 28개구나.

(   )

2-3 운동장에서 학생 28명이 놀고 있었는데 몇 명이 교실로 들어갔습니다. 운동장에 남아 있는 학생이 10명이라면 교실로 들어간 학생은 몇 명인지 구해 보세요.

(   )

1 　주사위 눈의 수를 차례로 10개씩 묶음의 수와 낱개의 수로 하여 보기 와 같이 덧셈과 뺄셈을 했습니다. 빈 곳에 알맞은 주사위 눈을 그려 보세요.

추론

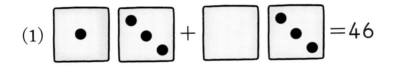

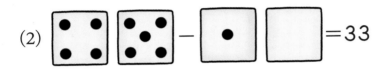

2 　가은이가 친구들에게 줄 팔찌를 만들고 있습니다. 구슬이 모자라서 상자에 들어 있는 것을 모두 꺼내서 만들었습니다. 상자에 들어 있던 구슬은 몇 개인지 구해 보세요.

문제 해결

(　　　　　　　　　)

3 ★, 에 알맞은 수를 구해 보세요.

(1)
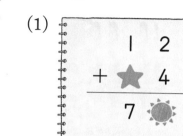

★ ( )
 ( )

(2)
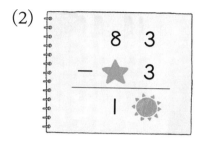

★ ( )
 ( )

4 버튼을 누르면 로봇이 명령에 따라 이동하거나 추를 올립니다. 저울이 기울지 않게 맞추려면 어떤 버튼을 눌러야 하는지 버튼 안에 알맞게 그려 보세요. (양쪽 접시에 놓인 수의 합이 같아지면 저울이 기울지 않습니다.)

명령

↑ : 10 를 1개 올립니다.   ◀ : 파란색 접시 앞으로 이동합니다.

▲ : 1 를 1개 올립니다.   ▶ : 빨간색 접시 앞으로 이동합니다.

1 나오는 모양

- 본뜨기 — 바닥에 닿는 면의 모양을 생각해 봅니다.

- 찍기 — 찰흙에 물건의 어느 부분을 찍으면 어떤 모양이 나올지 생각해 봅니다.

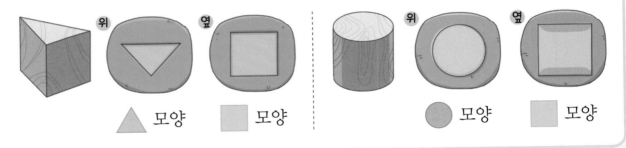

활동 문제 친구들이 가지고 있는 물건의 바닥을 스케치북에 본뜬 그림입니다. 스케치북 주인을 찾아 이어 보세요.

2 꾸민 모양의 수 비교하기

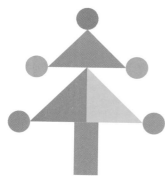

모양	⬜ 모양	🔺 모양	⚫ 모양
이용한 모양의 수	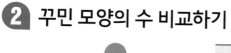		
	1개	3개	5개

➡ 가장 많이 이용한 모양은 ⚫ 모양이고, 가장 적게 이용한 모양은 ⬜ 모양입니다.

활동 문제 ⬜, 🔺, ⚫ 모양을 이용하여 꾸민 모양입니다. 이용한 모양의 수를 각각 세어 보고, 가장 많이 이용한 모양과 가장 적게 이용한 모양을 알아보세요.

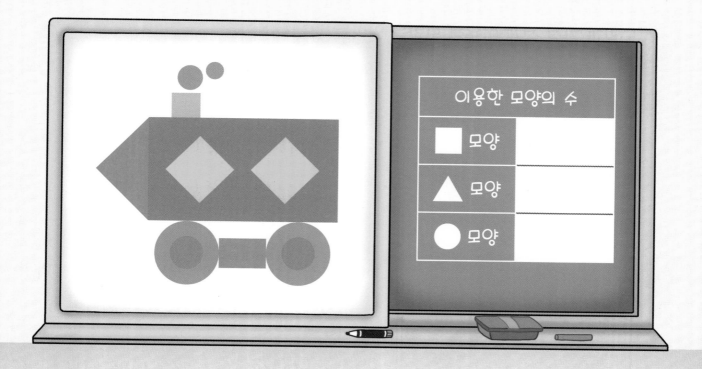

이용한 모양의 수

⬜ 모양	
🔺 모양	
⚫ 모양	

➡ 가장 많이 이용한 모양은 ☐ 모양이고,

가장 적게 이용한 모양은 ☐ 모양입니다.

1-1 ■ 모양, ▲ 모양, ● 모양을 이용하여 꾸민 모양을 보고 가장 많이 이용한 모양에 ○표 하세요.

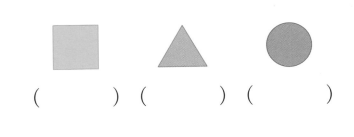

(   ) (   ) (   )

■ 모양, ▲ 모양, ● 모양의 수를 각각 세어 보고, 가장 많이 이용한 모양을 알아봅니다.

1-2 ■ 모양, ▲ 모양, ● 모양을 이용하여 꾸민 모양을 보고 가장 많이 이용한 모양과 가장 적게 이용한 모양을 알아보세요.

(1) 이용한 ■ 모양, ▲ 모양, ● 모양의 수를 각각 세어 보세요.

     ■ 모양 (   )

     ▲ 모양 (   )

     ● 모양 (   )

(2) 가장 많이 이용한 모양에는 ○표, 가장 적게 이용한 모양에는 △표 하세요.

(   ) (   ) (   )

2-1 물건들을 다음과 같이 종이 위에 놓고 본뜰 때 나오는 모양이 <u>다른</u> 하나에 ×표 하세요.

(   )   (   )   (   )   (   )

2주
4일

- 구하려는 것: 본뜬 모양이 다른 하나
- 주어진 조건: 종이 위에 대고 그릴 물건들
- 해결 전략: 물건들을 종이 위에 대고 그리면 ■ 모양, ▲ 모양, ● 모양 중 어떤 모양이 나올지 생각해 봅니다.

2-2 승원이가 피라미드 모형으로 찍기 놀이를 하고 있습니다. 피라미드 모형을 찍어서 나올 수 <u>없는</u> 모양에 ×표 하세요.

(   )   (   )   (   )

2-3 현주가 롤러에 물감을 묻혀 칠하고 있습니다. 위에서 아래로 곧게 칠했을 때 그려지는 모양에 ○표 하세요.

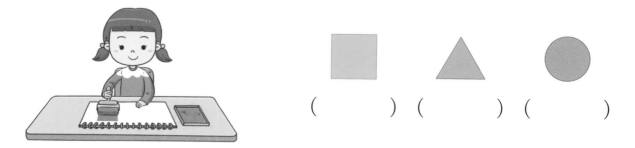

(   )   (   )   (   )

1 다음 중 모양이 <u>다른</u> 하나에 ✕표 하세요.

창의 · 융합

2 주어진 모양 조각을 이용하여 꾸밀 수 있는 모양에 ○표 하세요.

문제 해결

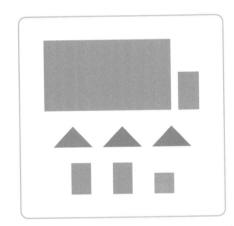

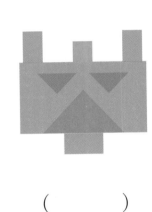

(   )

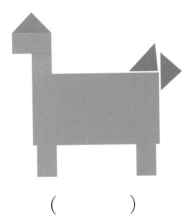

(   )

3 뾰족한 곳이 4군데인 모양을 본뜰 수 <u>없는</u> 물건을 모두 찾아 ✕표 하세요.

창의 · 융합

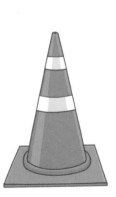

4 추론

그림과 같이 케이크를 잘랐을 때 잘라 낸 조각에서 찾을 수 있는 모양에 모두 ◯표 하세요.

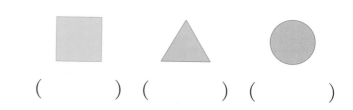

(   ) (   ) (   )

5 문제 해결

유리창에 모양 조각을 붙여서 왼쪽과 같이 고양이 얼굴을 꾸몄습니다. 며칠 뒤 조각 몇 개가 떨어져 오른쪽과 같이 되었습니다. 어떤 모양 조각이 몇 개 떨어졌는지 구해 보세요.

➡ ▢ 모양 ▢ 개, ▲ 모양 ▢ 개, ● 모양 ▢ 개가 떨어졌습니다.

1 겹쳐 놓은 색종이

- 위에 놓인 조각부터 차례로 모양을 알아봅니다.
  가려진 모양의 나머지 부분을 예상하여 어떤 모양인지 알아봅니다.

위에서부터 놓인 순서	첫째	둘째	셋째	넷째
모양	△ 모양	○ 모양	△ 모양	□ 모양

활동 문제 겹쳐 놓은 색종이를 보고 위에서부터 놓인 순서에 알맞은 색종이를 찾아 선으로 잇고 어떤 모양인지 알맞게 색칠하세요.

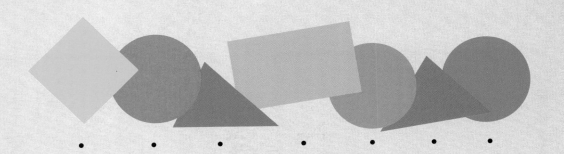

위에서부터 첫째

□ △ ○

위에서부터 둘째

□ △ ○

위에서부터 여섯째

□ △ ○

▶ 정답 및 해설 14쪽

2 색종이를 접어서 잘랐을 때 만들어지는 모양

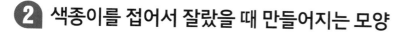

색종이를 거꾸로 펼쳐가며 자르는 선을 펼친 색종이에 그려 보고 어떤 모양이 몇 개 만들어지는지 알아봅니다.

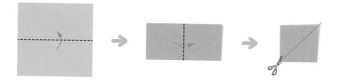

🔺 모양이 4개 만들어져요!

활동 문제 색종이를 2번 접어 선을 따라 자르고 펼쳤을 때 어떤 모양이 몇 개 만들어지는지 구해 보세요.

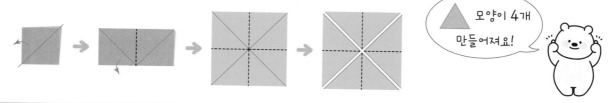

❶ 펼친 색종이에 잘리는 선을 그어 보세요.

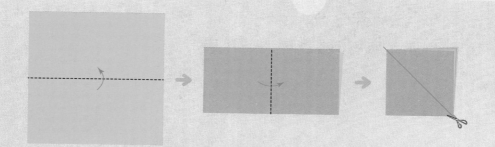

❷ 어떤 모양이 몇 개 만들어지나요?

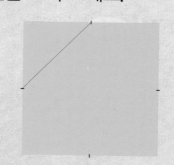

■ 모양 ☐ 개, ▲ 모양 ☐ 개가 만들어집니다.

1-1 다음과 같이 ■, ▲, ● 모양 조각 4개를 겹쳐 놓았습니다. 위에서부터 두 번째에 놓인 조각은 뾰족한 곳이 모두 몇 군데인지 구해 보세요.

(   )

● 가려진 곳이 없는 조각이 가장 위에 놓인 조각입니다.
● 가려진 모양의 나머지 부분을 예상하여 어떤 모양인지 알아봅니다.

1-2 다음과 같이 ■, ▲, ● 모양 조각 4개를 겹쳐 놓았습니다. 가장 아래에 놓인 조각은 뾰족한 곳이 모두 몇 군데인지 구해 보세요.

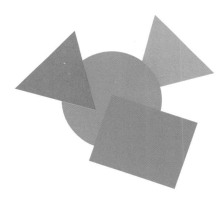

(1) 가장 아래에 놓인 조각은 ■, ▲, ● 모양 중 어떤 모양일까요?

☐ 모양

(2) 가장 아래에 놓인 조각은 뾰족한 곳이 모두 몇 군데인지 구해 보세요.

(   )

2-1 색종이를 그림과 같이 3번 접은 후 펼쳐서 접힌 선을 따라 모두 잘랐습니다. 뾰족한 곳이 3군데인 모양은 몇 개 만들어지는지 구해 보세요.

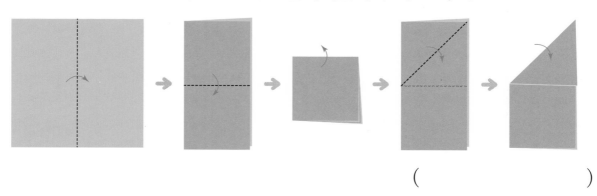

(   )

- 구하려는 것: 만들어지는 모양 중 뾰족한 곳이 3군데인 모양의 수
- 주어진 조건: 그림과 같이 접은 색종이, 접힌 선을 따라 모두 자름
- 해결 전략: ❶ 접은 색종이를 펼쳤을 때 접힌 선 그려 보기
  ❷ 접힌 선을 따라 자른 모양 알아보기
  ❸ 뾰족한 곳이 3군데인 모양 찾기

2-2 색종이를 그림과 같이 한 번 접고 표시한 선을 따라 모두 잘랐습니다. 자른 조각들을 펼치면 뾰족한 곳이 3군데인 모양과 4군데인 모양이 각각 몇 개씩 만들어지는지 구해 보세요.

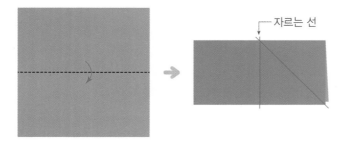

자르는 선

뾰족한 곳이 3군데인 모양 (   )
뾰족한 곳이 4군데인 모양 (   )

5일 **사고력 · 코딩**

1 추론 ■ 모양과 ▲ 모양의 물건을 본뜬 모양의 일부가 물에 번져서 지워졌습니다. 지워진 부분에 선을 다시 그어 모양을 완성해 보세요.

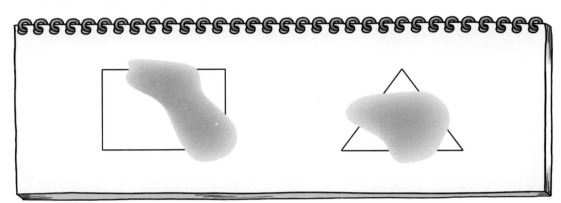

2 문제 해결 ■, ▲, ● 모양 도장을 여러 번 찍었습니다. 가장 많이 찍은 도장은 어떤 모양인지 구해 보세요. (단, 다른 도장들과 완전히 겹치게 찍은 도장은 없습니다.)

(1) ■, ▲, ● 모양 도장이 찍힌 곳을 따라 테두리를 각각 그려 보세요.

(2) ■, ▲, ● 모양 도장을 각각 몇 번씩 찍었을까요?

■ 모양 (   ), ▲ 모양 (   ), ● 모양 (   )

(3) 가장 많이 찍은 도장은 어떤 모양일까요? ☐ 모양

3 설명에 알맞은 그림을 찾아 기호를 써 보세요.

설명

• ■ 모양 안에 ● 모양이 있습니다.

• ▲ 모양 안에 ■ 모양이 있습니다.

(   )

4 색종이를 그림과 같이 3번 접은 후 표시한 선을 따라 잘랐습니다. 어떤 모양이 몇 개 만들어지는지 구해 보세요.

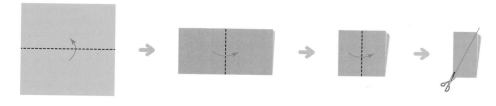

(1) 표시한 선을 따라 잘랐을 때 잘리는 선을 색종이에 나타내어 보세요.

(2) 어떤 모양이 각각 몇 개씩 만들어지는지 써 보세요.

☐ 모양 ☐개, ☐ 모양 ☐개가 만들어집니다.

1 계산을 해 보고, 계산 결과가 큰 순서대로 글자를 써 보세요. 문제 해결

27+51 = □
친

56−33 = □
사

18+21 = □
야

88−72 = □
해

62+15 = □
구

34−12 = □
랑

2 지나가는 길에 있는 구슬을 차례로 문에 꽂고 계산 결과가 ⬡ 안의 수가 되면 문

이 열린다고 합니다. 문을 열 수 있는 길을 따라 선을 긋고 ◯ 안에 알맞게 써넣으세요.

코딩

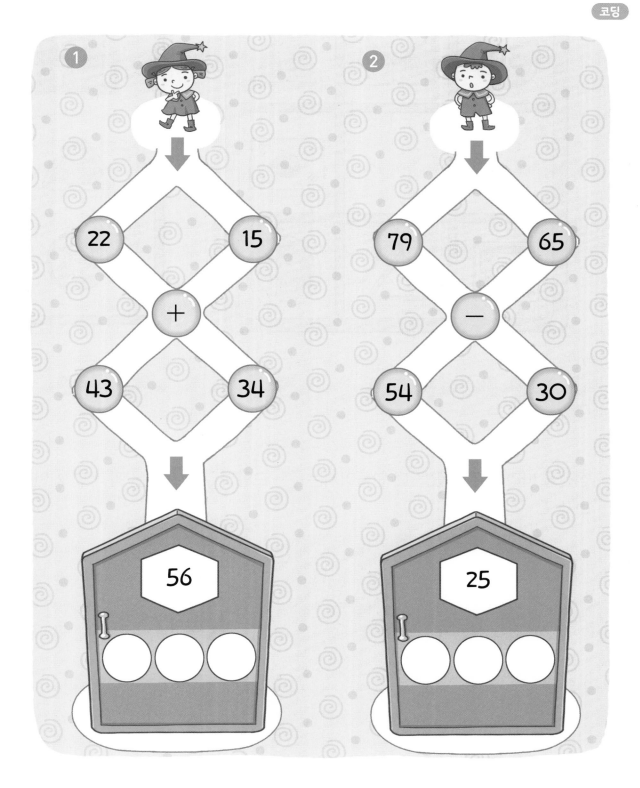

3 모든 가로줄과 세로줄에 ■, ▲, ● 모양 물건이 1개씩 놓이게 만들려고 합니다. 빈 곳에 들어갈 물건을 찾아 기호를 써넣으세요. `코딩`

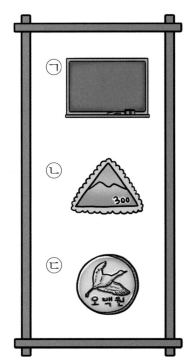

4 점선을 따라 모두 잘랐을 때 만들어지는 ■ 모양과 ▲ 모양은 각각 몇 개인지 구해 보세요. `추론`

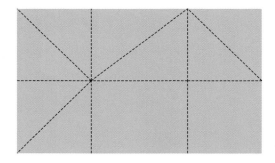

■ 모양 (   )

▲ 모양 (   )

5 주머니에서 수를 하나씩 골라 덧셈식과 뺄셈식을 각각 만들어 보세요. (문제 해결)

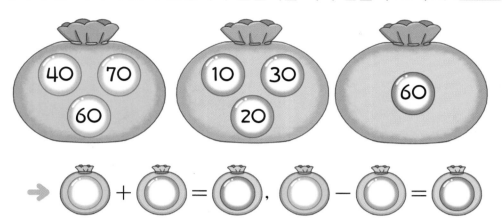

6 조각끼리 붙여 ▢, ▲, ● 모양을 만들려고 합니다. 알맞게 이어 보세요. (추론)

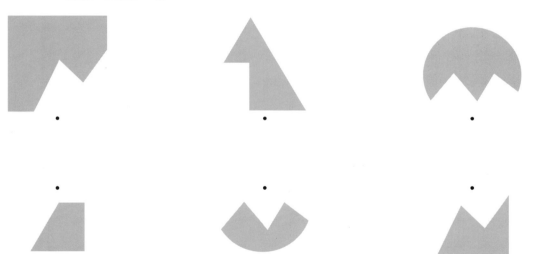

7 색종이를 그림과 같이 한 번 접은 후 표시한 선을 따라 모두 잘랐습니다. 만들어지는
▢ 모양과 ▲ 모양은 각각 몇 개인지 구해 보세요. (창의 · 융합)

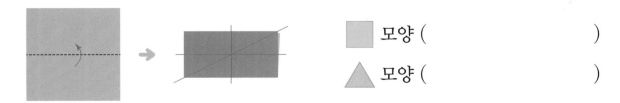

▢ 모양 (   )

▲ 모양 (   )

8 보기 와 같이 꽃에 앉을 수 있는 나비 3마리를 선으로 이었습니다. 규칙을 찾아 꽃에

앉을 수 있는 나비 3마리를 선으로 이어 보세요. 추론

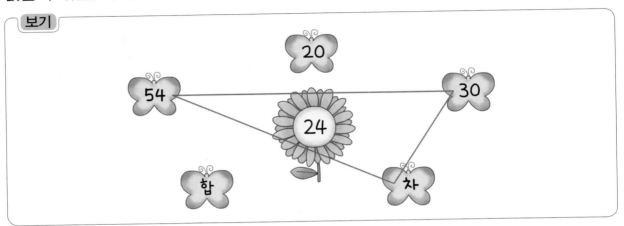

①

②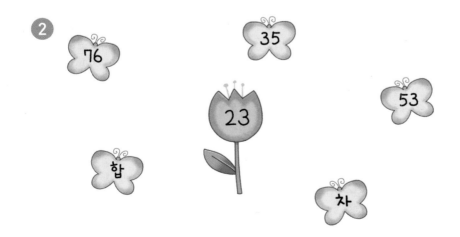

9 물감을 묻혀 찍었을 때 나올 수 <u>없는</u> 모양에 ×표 하세요. 추론

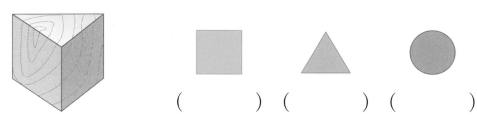

(   ) (   ) (   )

10 두부를 다음과 같이 잘랐을 때 ▢, △, ● 모양 중에서 찾을 수 있는 모양을 그려 보세요. 추론

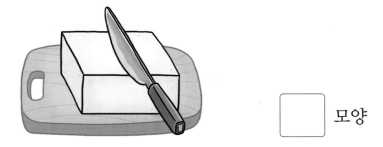

▢ 모양

11 그림에서 찾을 수 있는 크고 작은 ▢ 모양은 모두 몇 개인지 구해 보세요. 문제 해결

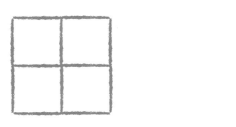

(   )

1 강아지가 올바른 계산이 되는 길을 따라가 집을 찾아갈 수 있도록 도와주세요.

(1)

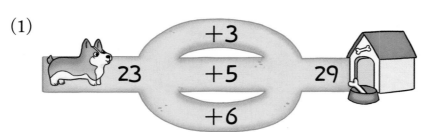

(2)

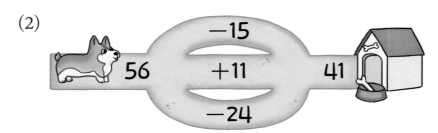

2 수 카드 중에서 2장을 골라 합이 가장 큰 덧셈식을 만들고 계산해 보세요.

51	24	31	46

☐ + ☐ = ☐

3 수 카드 3장 중 2장을 사용하여 몇십몇을 만들려고 합니다. 만들 수 있는 가장 큰 몇십몇과 가장 작은 몇십몇의 차를 구해 보세요.

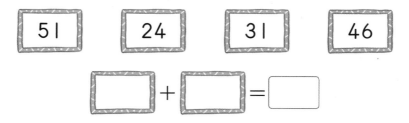

(   )

4 ☐ 안에 알맞은 수를 써넣으세요.

(1)
```
    4 3
+   1 □
─────
    5 7
```

(2)
```
    1 3
+   □ 6
─────
    6 9
```

(3)
```
    8 6
−   5 □
─────
    3 3
```

5 관계있는 것끼리 이어 보세요.

| 뽀족한 곳이 3군데 있습니다. | 뽀족한 곳이 없습니다. | 편평한 선이 4군데 있습니다. |

6 , ▲, ● 모양을 이용하여 꾸민 모양을 보고 가장 많이 이용한 모양에는 ○표, 가장 적게 이용한 모양에는 △표 하세요.

(   ) (   ) (   )

7 다음과 같이 , ▲, ● 모양 조각 5개를 겹쳐 놓았습니다. 가장 아래에 놓인 조각은 뽀족한 곳이 모두 몇 군데인지 구해 보세요.

(   )

사과가 2개, 배가 1개, 귤이 4개라면 과일은 모두 몇 개일까요?

저요!

$2+1+4=7$

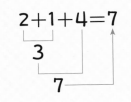

앞의 두 수를 먼저 더하고, 두 수를 더해 나온 수에 나머지 한 수를 더하면 7이므로 과일은 모두 7개입니다.

정답 입니다.

그럼 사탕 8개 중에서 내가 2개를 먹고 친구가 3개를 먹었다면 사탕은 몇 개 남았을까요?

앞의 두 수의 뺄셈을 먼저 하고, 두 수의 뺄셈을 하여 나온 수에서 나머지 한 수를 빼면 3이므로 사탕은 3개 남았습니다.

$8-2-3=3$

정답 입니다.

이번에는 시계 보기 문제를 낼게요.

만화로 미리 보기

시계를 보고 몇 시인지 맞혀 보세요.

동수 학생이 말해 볼까요?

어?

그런데 동수는 어제까지 안경을 쓰지 않았는데 ……

공부를 열심히 하느라 안경을 쓰게 되었나 봐요.

크

시각은 몇 시일까요?

자... 잘 모르겠어요.

짧은바늘이 11, 긴바늘이 12를 가리키면 11시이고, 열한 시라고 읽잖아요.

선생님! 짧은바늘이 12를 가리키고 긴바늘이 12를 가리키면 12시이고 열두 시라고 읽죠.

그걸 어떻게 알았죠?

12시는 점심시간 이잖아요.

……

• ■+▲+● 계산하기

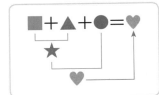 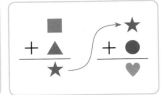

• ■−▲−● 계산하기

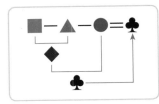 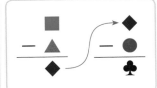

확인 문제

1-1 ☐ 안에 알맞은 수를 써넣으세요.

(1) 2+1+5=☐

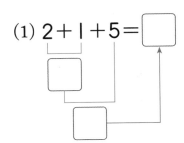

(2)

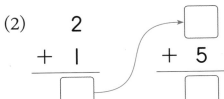

한번 더

1-2 ☐ 안에 알맞은 수를 써넣으세요.

(1) 1+4+4=☐

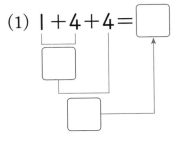

(2)

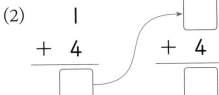

2-1 ☐ 안에 알맞은 수를 써넣으세요.

(1) 8−3−4=☐

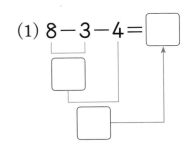

(2)

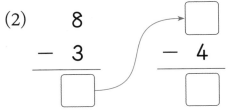

2-2 ☐ 안에 알맞은 수를 써넣으세요.

(1) 9−2−5=☐

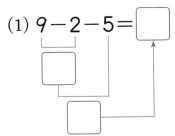

(2)

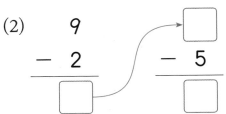

• 몇 시 알아보기

짧은바늘: 11 ┐
긴바늘: 12 ┘ → 11시

• 몇 시 30분 알아보기

짧은바늘: 12와 1 사이 ┐
긴바늘: 6 ┘ → 12시 30분

확인 문제

3-1 시각을 써 보세요.

(1)
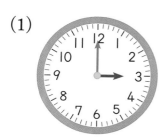 시

(2)
 ☐시

한번 더

3-2 시각을 써 보세요.

(1)
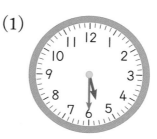 ☐시 ☐분

(2)
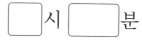 ☐시 ☐분

4-1 시각을 바르게 읽었으면 ○표, 아니면 ✕표 하세요.

일곱 시

(   )

4-2 시각을 바르게 읽었으면 ○표, 아니면 ✕표 하세요.

열 시 삼십 분

(   )

1 10이 되는 더하기

· 덧셈식

1+9=10	4+6=10	7+3=10
2+8=10	5+5=10	8+2=10
3+7=10	6+4=10	9+1=10

1+9=10, 9+1=10과 같이 두 수를 바꾸어 더해도 합은 같습니다.

· 계산하기

모으기 하여 10이 되는 두 수를 더하면 10이 됩니다.

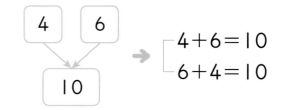

$$4+6=10$$
$$6+4=10$$

활동 문제　친구들이 숨바꼭질을 하고 있습니다. 10이 되는 덧셈식이 <u>아닌</u> 깃발을 들고 있는 친구를 찾아 ○표 하세요.

7+3　근우

8+2　현철

1+9　지현

6+3　정희

6+4　주민

▶ 정답 및 해설 17쪽

② **I0이 되는 덧셈식에서 모르는 수 구하기**

I0칸을 모두 채우려면 ◯가 **3**개 더 필요합니다.

➡ $7 + \boxed{3} = 10$

7과 더해서 I0이 되는 수는 3입니다.

활동 문제 가면 파티가 열렸습니다. 가면 뒤에 어떤 수가 숨어 있는지 ☐ 안에 알맞은 수를 써넣으세요.

나와 5를 더하면 I0이야.

$\boxed{} + 5 = 10$

나와 4를 더하면 I0이야.

$\boxed{} + 4 = 10$

나와 3을 더하면 I0이야.

$\boxed{} + 3 = 10$

나와 8을 더하면 I0이야.

$\boxed{} + 8 = 10$

1-1 다음 중 계산 결과가 10이 되는 덧셈식을 찾아 기호를 써 보세요.

ㄱ 3+6   ㄴ 7+1   ㄷ 5+5

(   )

ㄱ, ㄴ, ㄷ을 각각 계산해 봅니다.

1-2 다음 중 계산 결과가 10이 <u>아닌</u> 덧셈식을 찾아 기호를 써 보세요.

ㄱ 8+2   ㄴ 1+8   ㄷ 6+4

(1) ㄱ, ㄴ, ㄷ을 계산한 값은 각각 얼마일까요?

ㄱ (   ), ㄴ (   ), ㄷ (   )

(2) 계산 결과가 10이 <u>아닌</u> 덧셈식을 찾아 기호를 써 보세요.

(   )

1-3 더해서 10이 되는 두 공을 모두 찾아 묶으면 남는 공이 1개 생깁니다. 남는 공의 수를 구해 보세요.

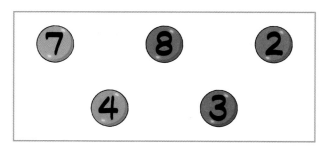

(1) 더해서 10이 되는 두 공을 모두 묶어 보세요.

(2) 남는 공의 수를 구해 보세요.

(   )

2-1 연서는 빨간색 구슬 4개와 파란색 구슬 1개를 가지고 있습니다. 연서가 노란색 구슬 몇 개를 사 왔더니 가지고 있는 구슬이 모두 10개가 되었습니다. 연서가 사 온 노란색 구슬은 몇 개일까요?

(   )

● 구하려는 것: 사 온 노란색 구슬의 수
● 주어진 조건: 연서가 처음에 가지고 있던 구슬의 수, 노란색 구슬을 더 사 온 후 총 구슬의 수
● 해결 전략: ❶ 처음에 가지고 있던 구슬은 모두 몇 개인지 구합니다.
　　　　　　❷ 총 구슬의 수가 10개가 되려면 구슬이 몇 개 더 필요한지 구합니다.

3주
1일

2-2 호준이는 동화책 2권과 위인전 5권을 가지고 있습니다. 호준이가 과학책 몇 권을 선물로 받았더니 가지고 있는 책이 모두 10권이 되었습니다. 호준이가 선물로 받은 과학책은 몇 권일까요?

(   )

2-3 시원이와 준서는 1부터 9까지의 수 카드 9장 중에서 각자 2장씩 골랐습니다. 시원이와 준서가 고른 수 카드의 합이 같을 때, 준서의 빈 카드에 알맞은 수를 구해 보세요.

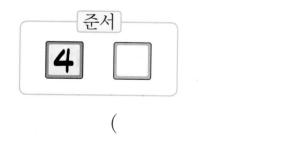

(   )

1

진열대에 다람쥐 인형과 토끼 인형이 있습니다. 두 인형의 수는 각각 몇 개인지 □ 안에 알맞은 수를 써넣으세요.

(1) 🐿 : $3 + \boxed{} = \boxed{}$ (개)   (2) 🐰 : $4 + \boxed{} = \boxed{}$ (개)

2

손가락을 펴서 10이 되는 더하기 놀이를 하고 있습니다. 윤호는 손가락 몇 개를 펴야 할까요?

나는 6개를 폈어.

$6 + \boxed{} = 10$ 이야.

미라   윤호

(   )

3

더해서 10이 되는 카드 2장을 짝 지어서 동물 이름을 2개 완성해 보세요.

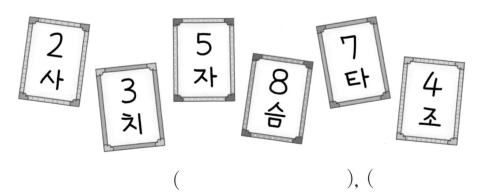

(   ), (   )

4 문제 해결

더해서 10이 되는 두 수를 모두 찾아 묶어 보고 덧셈식을 써 보세요.

1	2	5
9	4	5
6	7	3

$$1+9=10$$

_____

_____

_____

3주
1일

5 코딩

왼쪽 규칙에 따라 오른쪽 칸에 모두 색칠하고 이때 어떤 숫자가 보이는지 써 보세요.

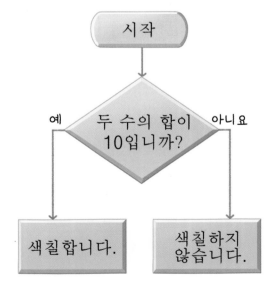

시작

예 ← 두 수의 합이 10입니까? → 아니요

색칠합니다.   색칠하지 않습니다.

6+3	2+8	4+6	1+9	2+7
9+0	3+7	1+8	5+5	3+5
7+2	5+4	7+1	8+2	6+2
4+5	3+6	0+9	6+4	8+1

(   )

1 10에서 빼기

· 뺄셈식

10-1=9	10-4=6	10-7=3
10-2=8	10-5=5	10-8=2
10-3=7	10-6=4	10-9=1

10에서 1씩 커지는 수를 빼면 차는 1씩 작아집니다.

· 계산하기

10을 두 수로 가르기 했을 때 10에서 한 수를 빼면 다른 수가 됩니다.

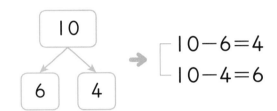

10-6=4
10-4=6

활동 문제 동물들이 가지고 있던 먹이 10개 중 먹은 만큼 /로 표시했습니다. 남은 먹이의 수를 구하는 뺄셈식을 알맞게 이어 보세요.

  ·

· 10-5=5

 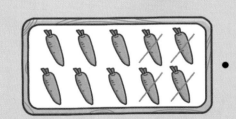 ·

· 10-9=1

 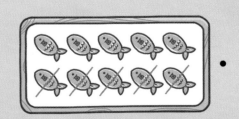 ·

· 10-4=6

2 10에서 빼는 뺄셈식에서 모르는 수 구하기

10개에서 2개가 남으려면 8개를 지워야 합니다.

➔ 10 − 8 = 2

10에서 2가 남으려면 8을 빼야 합니다.

활동 문제 동물들이 가지고 있던 달걀 10개 중 몇 개로 달걀프라이 요리를 했습니다. 누가 한 요리인지 알맞게 이어 보세요.

3주
2일

1-1 계산 결과가 더 큰 것의 기호를 써 보세요.

⊙ 10-1   ⓛ 10-4

(   )

⊙과 ⓛ을 각각 계산해 봅니다.

1-2 계산 결과가 더 작은 것의 기호를 써 보세요.

⊙ 10-5   ⓛ 10-3

(1) ⊙과 ⓛ을 계산한 값은 각각 얼마일까요?

⊙ (   ), ⓛ (   )

(2) 계산 결과가 더 작은 것의 기호를 써 보세요.

(   )

1-3 주원이와 지아가 양손에 가지고 있는 바둑돌은 각각 10개입니다. 주먹을 쥔 손에 들어 있는 바둑돌은 누가 더 많은지 알아보세요.

주원   지아

주먹을 쥔 손에 들어 있는 바둑돌은 주원이가 ☐개, 지아가 ☐개입니다.

따라서 ☐이/가 ☐보다 크므로 ☐(이)가 더 많습니다.

2-1 바구니에 사과 **7**개와 배 **3**개가 들어 있습니다. 그중에서 몇 개를 먹었더니 **4**개가 남았습니다. 먹은 과일은 몇 개일까요?

(   )

- 구하려는 것: 먹은 과일의 수
- 주어진 조건: 바구니에 들어 있는 사과와 배의 수, 먹고 남은 과일의 수
- 해결 전략: ❶ 바구니에 들어 있는 과일은 모두 몇 개인지 구합니다.
  ❷ **4**개가 남았다면 몇 개를 먹은 것인지 구합니다.

2-2 상자에 빨간색 색종이 **8**장과 파란색 색종이 **2**장이 들어 있습니다. 그중에서 몇 장을 사용했더니 **5**장이 남았습니다. 사용한 색종이는 몇 장일까요?

(   )

2-3 물방울무늬 볼링 핀 **4**개와 줄무늬 볼링 핀 **6**개가 놓여 있습니다. 다연이가 볼링 공을 굴려서 볼링 핀 몇 개를 쓰러뜨렸더니 남은 볼링 핀이 **3**개였습니다. 다연이가 쓰러뜨린 볼링 핀은 몇 개일까요?

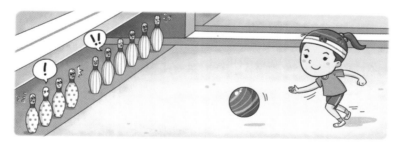

(   )

1 조각이 10개인 퍼즐을 완성하려고 합니다. 더 필요한 조각은 몇 개인지 구하고 알맞은 조각에 모두 ○표 하세요.

창의·융합

(   )

2 계산 결과가 큰 것부터 차례로 이어 보세요.

문제 해결

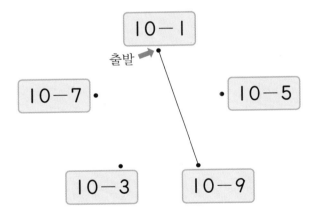

3 두 수의 차를 구하고 보기 에서 그 차의 글자를 찾아 써 보세요.

추론

$10-2=$ ☐ ➡ ☐

$10-6=$ ☐ ➡ ☐

$10-9=$ ☐ ➡ ☐

$10-3=$ ☐ ➡ ☐

보기

1 고	2 잘	3 로	4 최	5 어
6 하	7 야	8 넌	9 있	

4 원재의 그림 일기를 읽고 원재가 종이배를 접은 색종이는 몇 장인지 구해 보세요.

문제 해결

| | ○월 ○일 ○요일 | | | | | | | | 날씨: 맑음 ☀ | | |

	종	이	배	를		접	으	려	고		빨	간	색	
색	종	이		5	장	과		연	두	색		색	종	이
5	장	을		준	비	했	다	.	내		친	구		안
나	에	게		3	장	을		주	고	,	나	도		몇
장	으	로		배	를		접	었	더	니		2	장	이
남	았	다	.											

(   )

개념·원리 길잡이 세 수의 계산 활용

1 약속한 기호로 계산하기

약속한 기호를 보고 숫자를 넣어서 식을 만든 다음 계산 순서에 맞게 계산합니다.

예 기호 ◈을 다음과 같이 약속할 때 9◈2의 값 구하기

$$가 ◈ 나 = 가 - 나 - 나$$

→ $9 ◈ 2 = 9 - 2 - 2$
$ = 7 - 2$
$ = 5$

> 세 수의 계산은 앞에서부터 두 수씩 차례로 계산합니다.

활동 문제 기호 ⊙와 ▣을 다음과 같이 약속할 때 □ 안에 알맞은 수를 써넣으세요.

$$가 ⊙ 나 = 가 + 나 + 나$$

1

$6 ⊙ 4 = \boxed{} + \boxed{} + \boxed{}$
$ = \boxed{}$

2

$3 ⊙ 7 = \boxed{} + \boxed{} + \boxed{}$
$ = \boxed{}$

$$가 ▣ 나 = 나 + 가 + 가$$

3

$8 ▣ 2 = \boxed{} + \boxed{} + \boxed{}$
$ = \boxed{}$

4

$1 ▣ 9 = \boxed{} + \boxed{} + \boxed{}$
$ = \boxed{}$

2 계산 결과가 가장 큰 식, 가장 작은 식 만들기

계산 결과가 가장 큰 식 또는 가장 작은 식이 되려면 식의 어느 부분을 가장 크게 만들고 어느 부분을 가장 작게 만들어야 하는지 알아봅니다.

예 $4+\square-\square$의 식에 **1**, **2**, **3** 중 2장을 골라 계산 결과가 가장 큰 식, 가장 작은 식 만들기

계산 결과가 가장 크려면
더하는 수에 가장 큰 수를, 빼는 수에 가장 작은 수를 넣습니다. ➡ $4+3-1=7-1=6$
계산 결과가 가장 작으려면
더하는 수에 가장 작은 수를, 빼는 수에 가장 큰 수를 넣습니다. ➡ $4+1-3=5-3=2$

덧셈과 뺄셈이 섞여 있을 때에는 앞에서부터 두 수씩 차례로 계산합니다.

3주
3일

활동 문제 주어진 수 카드 중 2장을 골라 한 번씩만 사용하여 계산 결과가 가장 큰 식과 가장 작은 식을 각각 만들고 계산해 보세요.

1

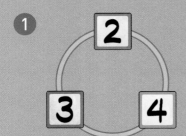

계산 결과가 가장 큰 식	계산 결과가 가장 작은 식
$6+\square-\square=\square$	$6+\square-\square=\square$

2

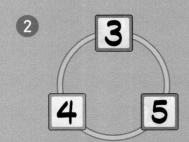

계산 결과가 가장 큰 식	계산 결과가 가장 작은 식
$7-\square+\square=\square$	$7-\square+\square=\square$

1-1 기호 ◈을 다음과 같이 약속할 때 7◈3의 값을 구해 보세요.

$$가 ◈ 나 = 나 + 가 + 나$$

(   )

❶ 약속한 기호를 보고 숫자를 넣어서 식을 만듭니다.
❷ 계산 순서에 맞게 계산합니다.

1-2 기호 ⊙을 다음과 같이 약속할 때 5⊙6의 값을 구해 보세요.

$$가 ⊙ 나 = 가 + 가 - 나$$

(1) 5⊙6을 식으로 나타내어 보세요.

$$5 ⊙ 6 = \boxed{} + \boxed{} - \boxed{}$$

(2) 5⊙6의 값을 구해 보세요.

(   )

1-3 기호 ▣을 다음과 같이 약속할 때 9▣8의 값을 구해 보세요.

$$가 ▣ 나 = 가 - 나 + 가$$

(1) 9▣8을 식으로 나타내어 보세요.

$$9 ▣ 8 = \boxed{} - \boxed{} + \boxed{}$$

(2) 9▣8의 값을 구해 보세요.

(   )

2-1 수 카드 1, 2, 4, 7 중에서 3장을 골라 한 번씩만 사용하여 아래와 같은 식을 만들려고 합니다. 계산 결과가 가장 큰 식을 만들고 계산해 보세요.

식을 만든 후 계산 결과를 구하세요.

- 구하려는 것: 계산 결과가 가장 큰 식과 계산 결과
- 주어진 조건: 수 카드 1, 2, 4, 7 중에서 3장을 골라 한 번씩만 사용, ☐-☐-☐
- 해결 전략: ❶ 계산 결과가 가장 크게 되려면 수 카드를 각각 어느 위치에 놓아야 하는지 알아봅니다.
  ❷ 식을 계산 순서에 맞게 계산합니다.

3주
3일

2-2 수 카드 2, 3, 4, 5 중에서 3장을 골라 한 번씩만 사용하여 아래와 같은 식을 만들려고 합니다. 계산 결과가 가장 작은 식을 만들고 계산해 보세요.

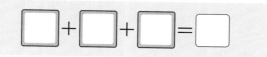

2-3 수 카드 1, 2, 3, 4 중에서 2장을 골라 한 번씩만 사용하여 아래와 같은 식을 만들려고 합니다. 계산 결과가 가장 클 때와 가장 작을 때의 값을 각각 구해 보세요.

$$5 + \square - \square$$

가장 클 때 (   ), 가장 작을 때 (   )

1
코딩

화살표의 약속에 따라 계산하여 빈칸에 알맞은 수를 써넣으세요.

화살표의 약속	
↗	+4
↘	−5

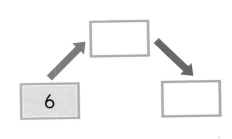

2
문제 해결

기호 ♥을 다음과 같이 약속하였을 때 4♥6의 값과 3♥5의 값의 차를 구해 보세요.

가♥나=나−가+나

(   )

3
창의 · 융합

중국 숫자 一, 二, 三, 四 중에서 3개를 골라 한 번씩만 사용하여 아래와 같은 식을 만들려고 합니다. 계산 결과가 가장 큰 식의 값을 구해 보세요.

	1	2	3	4
중국 숫자(한자)	一	二	三	四

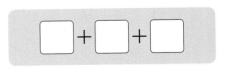

(   )

4 다음은 0부터 9까지의 숫자와 +, −을 디지털 기호로 나타낸 것입니다. 다음
추론 식이 알맞게 되도록 연산 기호를 알맞게 색칠해 보세요.

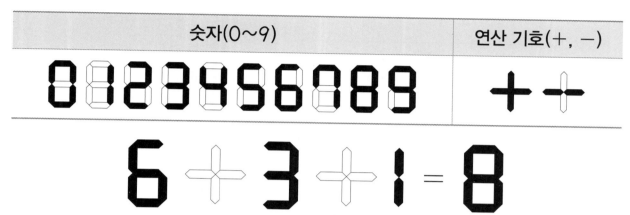

3주
3일

5 기호 ◆을 가◆나=가−나−나라고 약속합니다. 다음 컴퓨터에 가와 나를 입
코딩 력하여 출력한 값을 다시 가로 입력하고 나는 계속 같은 값을 입력합니다. 처음
에 가=7, 나=1을 입력하여 2회에 출력한 값은 얼마인지 구해 보세요.

컴퓨터에 한 번
들어갔다 나온 것을
1회로 생각해요.

(1) 가=7, 나=1을 입력했을 때 1회에 출력한 값은 얼마일까요?

(   )

(2) 1회에 출력한 값을 다시 **가**로 입력하고 **나**는 처음과 같은 값을 입력했습
니다. 2회에 출력한 값은 얼마일까요?

(   )

1 몇 시와 몇 시 30분 알아보기

• 몇 시 알아보기

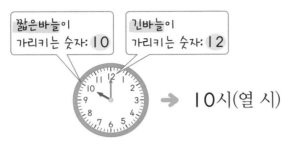

짧은바늘이 가리키는 숫자: 10
긴바늘이 가리키는 숫자: 12

➡ 10시(열 시)

■시는 긴바늘이 항상 12를 가리킵니다.

• 몇 시 30분 알아보기

짧은바늘: 9와 10 사이

➡ 9시 30분 (아홉 시 삼십 분)

긴바늘이 가리키는 숫자: 6

■시 30분은 긴바늘이 항상 6을 가리킵니다.

활동 문제 민서의 계획표입니다. 민서가 계획표대로 했으면 ○표, 하지 않았으면 ✕표 하세요.

책 읽기	점심 먹기	운동하기	그림 그리기
9시 30분	12시	3시	5시 30분

( )

( )

( )

( )

② 시각의 순서 알아보기

- ■시 이전 시각
  - ➡ ■시보다 빠른 시각
  - 예 6시 이전 시각
    - ➡ 5시 30분, 5시, 4시 30분, 4시 등

- ■시 이후 시각
  - ➡ ■시보다 늦은 시각
  - 예 6시 이후 시각
    - ➡ 6시 30분, 7시, 7시 30분, 8시 등

> **참고** 시각은 낮 12시를 기준으로 오전과 오후로 나누어집니다. 오전이 오후보다 빠르고 오전과 오후의 시각에서 '시'를 나타낸 수가 작을수록 시각이 빠릅니다.

활동 문제 서완이가 주어진 시각에서 한 일을 찾아보세요.

❶ 서완이가 낮 12시 이전에 한 일입니다. 이 중에서 10시 이전에 한 일은 무엇일까요?

청소하기

피아노 치기

10시보다 빠른 시각을 찾아보세요.

(　　　　　　　)

❷ 서완이가 낮 12시 이후에 한 일입니다. 이 중에서 5시 이후에 한 일은 무엇일까요?

축구하기

숙제하기

5시보다 늦은 시각을 찾아보세요.

(　　　　　　　)

1-1 지금 시각을 시계에 나타내고 두 시곗바늘이 가리키는 숫자의 합을 구해 보세요.

(   )

■시는 긴바늘이 항상 12를 가리킵니다.

1-2 지금 시각을 시계에 나타내고 두 시곗바늘이 가리키는 숫자의 합을 구해 보세요.

(1) 시각에 알맞게 두 시곗바늘을 그려 넣으세요.

(2) 두 시곗바늘이 가리키는 숫자의 합은 ☐ 입니다.

1-3 오른쪽 시각을 시계에 나타내었을 때 두 시곗바늘이 가리키는 숫자의 합을 구해 보세요.

☐ 시는 짧은바늘이 ☐ 을/를, 긴바늘이 ☐ 을/를 가리킵니다.

따라서 두 시곗바늘이 가리키는 숫자의 합은 ☐ + ☐ = ☐ 입니다.

2-1 미라, 윤호, 민지가 아침에 일어난 시각을 나타낸 것입니다. 가장 늦게 일어난 사람은 누구일까요?

미라   윤호   민지

(   )

- 구하려는 것: 아침에 가장 늦게 일어난 사람
- 주어진 조건: 미라, 윤호, 민지가 아침에 일어난 시각
- 해결 전략: ❶ 미라, 윤호, 민지가 아침에 일어난 시각을 알아봅니다.
        ❷ 가장 늦은 시각을 찾아봅니다.

2-2 가은, 근우, 상혁이가 점심 식사를 시작한 시각을 나타낸 것입니다. 가장 먼저 점심 식사를 시작한 사람은 누구일까요?

가은   근우   상혁

(   )

2-3 현철이는 저녁 7시 30분부터 9시까지 책을 읽었습니다. 책을 읽는 동안 볼 수 없는 시각을 찾아 기호를 써 보세요.

ㄱ `8:00`   ㄴ `8:30`   ㄷ `9:30`

(   )

1 시곗바늘이 없는 시계에 시곗바늘을 그려 넣고, ☐ 안에 알맞은 수를 써넣으세요.

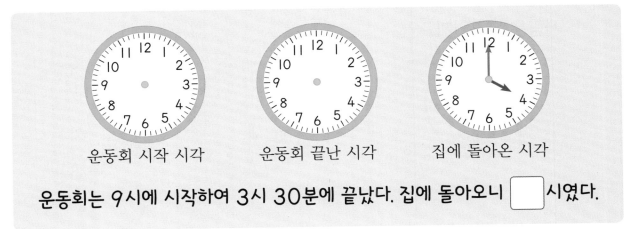

운동회 시작 시각　　　운동회 끝난 시각　　　집에 돌아온 시각

운동회는 9시에 시작하여 3시 30분에 끝났다. 집에 돌아오니 ☐ 시였다.

2 서울이 4시 30분일 때 다른 도시의 시각입니다. 자카르타, 베이징, 서울, 시드니의 시각이 일정한 규칙에 따라 변할 때 시드니의 시각을 구해 보세요.

베이징　서울

자카르타

시드니

(1) 자카르타, 베이징, 서울의 시각에서 규칙을 찾으려고 합니다. ☐ 안에 알맞은 수를 써넣으세요.

　　　자카르타의 시각부터 ☐ 시간씩 늦어지는 규칙입니다.

(2) 시드니의 시각을 구해 보세요.

(　　　　　　)

3 코딩

화살표의 규칙에 따라 시계에 시각을 나타내었을 때 마지막 시계가 나타내는 시각을 구해 보세요. (단, 긴바늘이 가리키는 숫자는 변하지 않습니다.)

➡	짧은바늘이 가리키는 숫자가 1만큼 더 커집니다.
⋯▶	짧은바늘이 가리키는 숫자가 3만큼 더 작아집니다.
⬇	짧은바늘이 가리키는 숫자가 5만큼 더 커집니다.

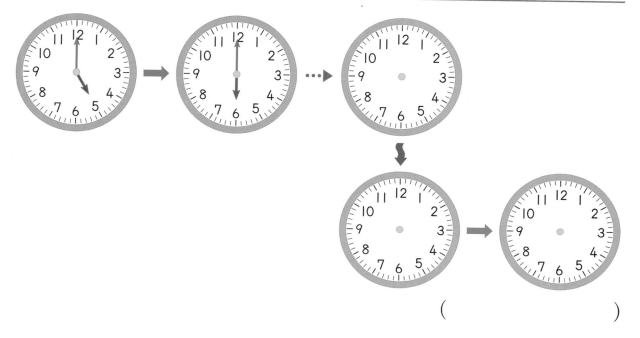

(　　　　　)

4 문제 해결

지수가 학교에서 돌아와서 한 일의 시각을 나타낸 것입니다. 먼저 한 일부터 차례로 □ 안에 1, 2, 3, 4를 써넣으세요.

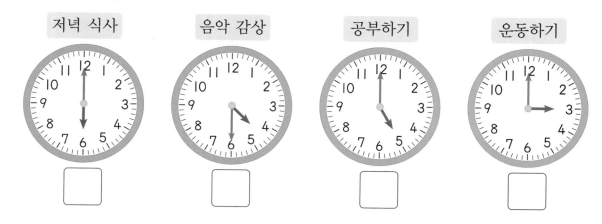

1 긴바늘이 ■바퀴 돈 후의 시각 구하기

긴바늘이 |바퀴 도는 동안 짧은바늘은 숫자 눈금
|칸을 움직입니다.

➡ 긴바늘이 |바퀴 돌면 |시간이 지난 것입니다.

긴바늘이 |바퀴 돈 시각

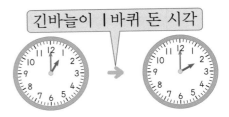

긴바늘이 ■바퀴 돈 시각 ➡ 지금 시각에서 ■시간이 지난 시각

활동 문제 왼쪽 시계의 시각에서 각각 긴바늘이 움직인 후의 시각을 오른쪽 시계에 나
타낸 것입니다. □ 안에 알맞은 수를 써넣으세요.

1 긴바늘이 |바퀴 돈 시각

2시　　□시

2 긴바늘이 |바퀴 돈 시각

4시 30분　　□시 30분

3 긴바늘이 2바퀴 돈 시각

6시　　□시

4 긴바늘이 2바퀴 돈 시각

7시 30분　　□시 30분

2 **설명하는 시각 구하기**

• 긴바늘이 12를 가리키는 시각 → 몇 시

• 긴바늘이 6을 가리키는 시각 → 몇 시 30분

• ■시와 ▲시 사이의 시각 → ■시를 지나고 ▲시를 지나지 않은 시각

활동 문제 보기 에서 알맞은 시계를 골라 기호를 써 보세요.

1 보기 의 시각 중 긴바늘이 12를 가리키는 시각을 모두 찾아 기호를 써 보세요.

(   )

2 보기 의 시각 중 긴바늘이 6을 가리키는 시각을 모두 찾아 기호를 써 보세요.

(   )

3 보기 의 시각 중 2시와 4시 사이의 시각을 모두 찾아 기호를 써 보세요.

(   )

1-1 혜민이는 긴바늘이 1바퀴 도는 동안 책을 읽었습니다. 혜민이가 책을 읽고 난 후의 시각을 시계에 나타내고 써 보세요.

책을 읽기 시작한 시각

책을 읽고 난 후의 시각

(   )

긴바늘이 1바퀴 돌면 1시간이 지난 것입니다.

1-2 지현이는 긴바늘이 2바퀴 도는 동안 공부를 했습니다. 지현이가 공부를 하고 난 후의 시각을 시계에 나타내고 써 보세요.

공부를 시작한 시각

공부를 하고 난 후의 시각

(1) 지현이가 공부를 시작한 시각을 써 보세요.

(   )

(2) ☐ 안에 알맞은 수를 써넣으세요.

긴바늘이 2바퀴 돈 시각 ➡ 지금 시각에서 ☐시간이 지난 시각

(3) 지현이가 공부를 하고 난 후의 시각을 시계에 나타내고 써 보세요.

(   )

2-1 다음 설명이 나타내는 시각을 시계에 나타내어 보세요.

- 긴바늘이 12를 가리킵니다.
- 1시와 4시 사이의 시각입니다.
- 2시 30분보다 늦은 시각입니다.

● 구하려는 것: 설명이 나타내는 시각을 시계에 나타내기
● 주어진 조건: 긴바늘이 12를 가리킴. 1시와 4시 사이의 시각, 2시 30분보다 늦은 시각
● 해결 전략: ❶ 긴바늘이 12를 가리키는 시각 중 1시와 4시 사이의 시각을 구합니다.
　　　　　　❷ ❶에서 구한 시각 중 2시 30분보다 늦은 시각을 구합니다.

2-2　다음 설명이 나타내는 시각을 시계에 나타내어 보세요.

- 긴바늘이 6을 가리킵니다.
- 5시와 7시 사이의 시각입니다.
- 6시보다 늦은 시각입니다.

2-3　다음 설명이 나타내는 시각을 시계에 나타내어 보세요.

- 긴바늘이 12를 가리킵니다.
- 8시와 11시 사이의 시각입니다.
- 9시 30분보다 빠른 시각입니다.

1 문제 해결

영준이가 할아버지 댁을 가는 동안 시계의 긴바늘이 3바퀴 돌았습니다. 영준이가 집에서 8시에 출발했다면 할아버지 댁에 도착한 시각을 구해 보세요.

⬜시에서 긴바늘이 3바퀴 돌면 짧은바늘은 ⬜을/를 가리킵니다.

따라서 영준이가 할아버지 댁에 도착한 시각은 ⬜시입니다.

2 창의 · 융합

형민이와 친구들이 놀이 기구를 탔습니다. 다음을 보고 물음에 답하세요.

[줄을 선 시각]
• 짧은바늘이 9와 10 사이를 가리킵니다.
• 긴바늘이 6을 가리킵니다.

[놀이 기구를 탄 시각]
• 짧은바늘이 10과 11 사이를 가리킵니다.
• 긴바늘이 6을 가리킵니다.

(1) 두 시계에 시곗바늘을 그려 넣으세요.

(2) 알맞은 수에 ○표 하세요.

형민이는 놀이 기구를 타려고 줄을 서서 기다리다가 긴바늘이 시계를 (1 , 2)바퀴 돈 후에 놀이 기구를 탔습니다.

▶정답 및 해설 23쪽

 정희는 12시에 영화를 보기 시작하였습니다. 긴바늘이 2바퀴 반 도는 동안 영화를 보았다면 영화가 끝난 시각을 시계에 나타내어 보세요.

영화가 끝난 시각

 왼쪽은 거울에 비친 시계의 모습입니다. 왼쪽 시계의 시각에서 긴바늘이 3바퀴 돌았을 때의 시각을 오른쪽 시계에 바르게 나타내어 보세요.

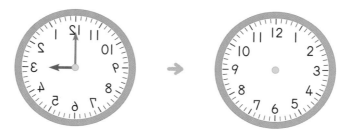

 은주네 시계의 종은 몇 시일 때는 짧은바늘이 가리키는 수만큼 울리고, 몇 시 30분일 때는 1번씩만 울립니다. 같은 날 낮 1시부터 낮 2시 30분까지 은주네 시계의 종은 모두 몇 번 울리는지 구해 보세요.

( )

1 동물 친구들이 사육사 아저씨에게 무언가 잘못했나 봐요. 더해서 10이 되는 두 수를
곧은 선으로 모두 이어 보고 어떤 동물이 갇혔는지 찾아 ○표 하세요. 창의·융합

2 천사가 길을 잃었어요. 시계가 나타내는 시각이 있는 길을 따라가면 천사의 집을 찾을
수 있어요. 천사의 집을 찾아 ○표 하세요. 창의·융합

3 부길이는 음악 소리의 크기를 9칸에서 2칸을 줄이고 다시 4칸을 줄였습니다. 지금 듣고 있는 음악 소리의 크기만큼 색칠해 보세요. 문제 해결

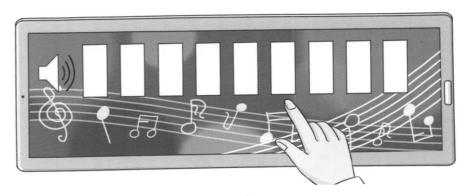

4 글을 읽고 그림에 알맞은 시계를 찾아 ☐ 안에 알맞은 기호를 써넣으세요. 문제 해결

> 심청은 기쁜 소식을 들었습니다. 1시 30분에 인당수에 몸을 던진 후 4시 30분에 바다의 연꽃 속에서 살아나서 눈먼 아버지를 찾기 위해 6시에 잔치를 벌였습니다.

㉠

㉡

㉢

5 거북과 토끼가 깃발 뽑기 놀이를 하려고 합니다. 더 많은 점수를 얻는 동물이 이긴다면 거북과 토끼 중 어느 동물이 이길까요? 코딩

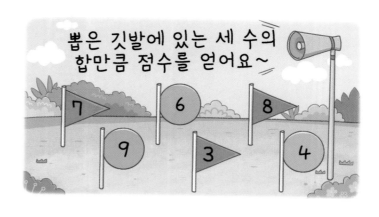

(   )

6 시계의 일부분이 커튼에 가려져서 두 시곗바늘이 모두 보이지 않습니다. 이 시계의 시각이 될 수 <u>없는</u> 것을 찾아 기호를 써 보세요. 추론

ㄱ 아홉 시 　ㄴ 열 시 삼십 분
ㄷ 열한 시 　ㄹ 열두 시

(   )

7 세 수의 합이 15인 가방을 들고 있는 사람만 파티에 갈 수 있습니다. 파티에 갈 수 있는 사람을 찾아 이름을 써 보세요. 문제 해결

심청　　백설공주　　신데렐라　　콩쥐

(　　　　　　　　　　　)

8 보기 와 같이 전체 글자 수에 알맞게 노랫말을 만들어 보세요. 추론

보기

	4글자	2글자	3글자
전체 9글자 ➡	퐁당퐁당	돌을	던지자

올챙이　　　　　화려 강산　　　　　무궁화

삼천리　　　　　개울가에　　　　　한 마리

전체 10글자 ➡ _____

9 영민이네 어머니께서 식당이 잘 되길 바라면서 떡을 돌리려고 합니다. 떡 세 조각에 있는 세 수의 합이 17이 되도록 떡을 4부분으로 나누어 보세요. 문제 해결

10 시계의 긴바늘이 2바퀴 도는 동안 위쪽에 있는 모래가 아래쪽으로 모두 떨어지는 모래시계가 있습니다. 모래가 아래쪽으로 모두 떨어지면 바로 모래가 위쪽으로 오도록 모래시계를 뒤집었습니다. 모래시계를 보고 끝난 시각을 시계에 나타내어 보세요. (단, 모래시계를 뒤집는 데 걸리는 시간은 생각하지 않습니다.) 추론

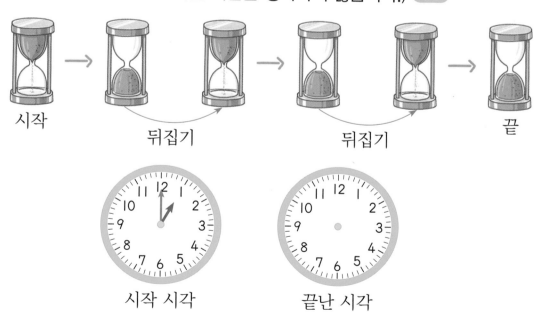

1 기호 ◆을 다음과 같이 약속할 때 8◆2의 값을 구해 보세요.

가◆나=가+나+나

( )

2 계산 결과가 더 큰 것의 기호를 써 보세요.

㉠ 10−6   ㉡ 10−8

( )

3 오른쪽 시각을 시계에 나타내었을 때 두 시곗바늘이 가리키는 숫자의 합을 구해 보세요.

□시는 짧은바늘이 □을/를, 긴바늘이 □을/를 가리킵니다.

따라서 두 시곗바늘이 가리키는 숫자의 합은 □+□=□입니다.

4 진주, 인혜, 상민이가 아침에 일어난 시각을 나타낸 것입니다. 가장 빨리 일어난 사람은 누구일까요?

진주   인혜   상민

( )

5 찬빈이와 유나는 1부터 9까지의 수 카드 9장 중에서 각자 2장씩 골랐습니다. 찬빈이와 유나가 고른 수 카드의 합이 같을 때, 유나의 빈 카드에 알맞은 수를 구해 보세요.

(   )

6 바구니에 사과 4개와 배 6개가 들어 있습니다. 그중에서 몇 개를 먹었더니 3개가 남았습니다. 먹은 과일은 몇 개일까요?

(   )

7 수 카드 1, 3, 6, 9 중에서 3장을 골라 한 번씩만 사용하여 아래와 같은 식을 만들려고 합니다. 계산 결과가 가장 큰 식을 만들고 계산해 보세요.

8 다음 설명이 나타내는 시각을 시계에 나타내어 보세요.

• 긴바늘이 6을 가리킵니다.
• 7시와 9시 사이의 시각입니다.
• 8시보다 빠른 시각입니다.

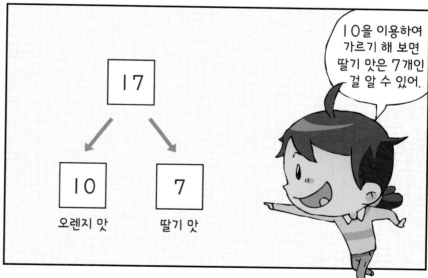

- 수 배열에서 규칙 찾기

> 수 배열에서
> 반복되는 수가 있는지,
> 수가 커지는지, 수가 작아지는지
> 알아보고 규칙을 찾습니다.

1 2 / 1 2 / 1 2
1, 2가 반복됩니다.

1 2 3
1씩 커집니다.

3 2 1
1씩 작아집니다.

확인 문제

1-1 수 배열에서 규칙을 알아보려고 합니다. ☐ 안에 알맞은 수를 써넣으세요.

3 — 5 — 3 — 5 — 3 — 5

규칙 ☐ , ☐ 이/가 반복됩니다.

한번 더

1-2 수 배열에서 규칙을 알아보려고 합니다. ☐ 안에 알맞은 수를 써넣으세요.

7 — 4 — 7 — 4 — 7 — 4

규칙 ☐ , ☐ 이/가 반복됩니다.

2-1 수 배열에서 규칙을 알아보려고 합니다. 알맞은 수에 ○표 하세요.

4 — 5 — 6 — 7 — 8

규칙 4부터 시작하여 (1 , 2)씩 커지는 규칙입니다.

2-2 수 배열에서 규칙을 알아보려고 합니다. 알맞은 수에 ○표 하세요.

9 — 7 — 5 — 3 — 1

규칙 9부터 시작하여 (1 , 2)씩 작아지는 규칙입니다.

3-1 규칙 에 따라 빈칸에 알맞은 수를 써넣으세요.

규칙
23부터 시작하여 1씩 커집니다.

23 — 24 — 25 — ☐ — ☐

3-2 규칙 에 따라 빈칸에 알맞은 수를 써넣으세요.

규칙
10부터 시작하여 1씩 작아집니다.

10 — 9 — 8 — ☐ — ☐

▶ 정답 및 해설 25쪽

• 덧셈하기

• 뺄셈하기

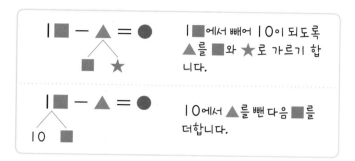

확인 문제

4-1 □ 안에 알맞은 수를 써넣으세요.

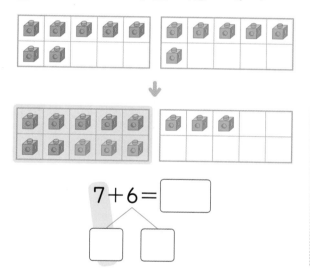

$7+6=$ □

한번 더

4-2 □ 안에 알맞은 수를 써넣으세요.

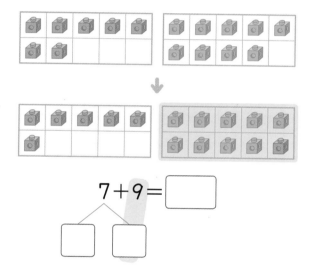

$7+9=$ □

5-1 □ 안에 알맞은 수를 써넣으세요.

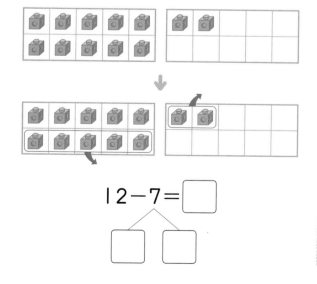

$12-7=$ □

5-2 □ 안에 알맞은 수를 써넣으세요.

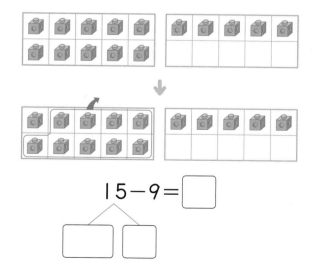

$15-9=$ □

1 규칙 찾는 방법

① 첫 번째 놓인 것과 같은 것을 찾아 그 앞에 /로 표시합니다.

첫 번째 ←

② 첫 번째 놓인 것부터 처음으로 /표시한 곳까지가 반복되는지 확인합니다.

규칙   🍇, 🍎, 🍎, 가 반복됩니다.

③ 만약 ②에서 반복되지 않으면 첫 번째 놓인 것부터 두 번째로 /표시한 곳까지가
반복되는지 확인합니다.

활동 문제   보기 와 같이 반복되는 부분에 /표 하세요.

보기

1

2

3

2 규칙에 따라 그림이나 수로 나타내기

	🐮	🐔	🐮	🐔	🐮	🐔	🐮	🐔
그림으로 나타내기	□	△	□	△	□	△	□	△
수로 나타내기	4	2	4	2	4	2	4	2

말로 설명하기 　소, 닭이 반복되는 규칙입니다.

그림으로 나타내기 　소는 □로, 닭은 △로 나타냅니다.

수로 나타내기 　소는 4로, 닭은 2로 나타냅니다.

규칙에 따라 같은 모양을 같은 그림, 수, 기호 등으로 나타냅니다.

4주
1일

활동 문제 　규칙에 따라 그림이나 수로 나타내어 보세요.

1 규칙에 따라 ○와 □를 사용하여 나타낸 것입니다. 빈칸에 알맞은 모양을 그려 넣으세요.

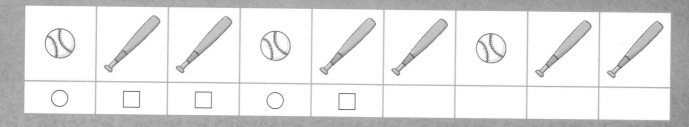

| ○ | □ | □ | ○ | □ | | | | |

2 규칙에 따라 2와 5를 사용하여 나타낸 것입니다. 빈칸에 알맞은 수를 써넣으세요.

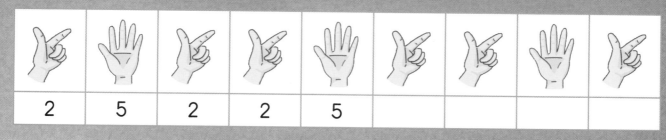

| 2 | 5 | 2 | 2 | 5 | | | | |

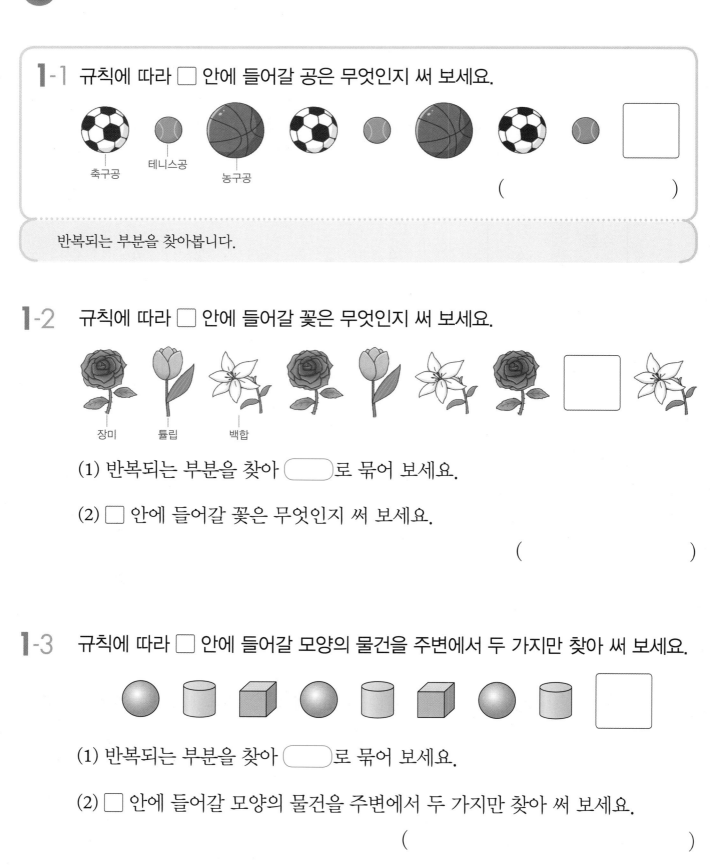

1-1 규칙에 따라 ☐ 안에 들어갈 공은 무엇인지 써 보세요.

축구공   테니스공   농구공

(   )

반복되는 부분을 찾아봅니다.

1-2 규칙에 따라 ☐ 안에 들어갈 꽃은 무엇인지 써 보세요.

장미   튤립   백합

(1) 반복되는 부분을 찾아 ⬭로 묶어 보세요.

(2) ☐ 안에 들어갈 꽃은 무엇인지 써 보세요.

(   )

1-3 규칙에 따라 ☐ 안에 들어갈 모양의 물건을 주변에서 두 가지만 찾아 써 보세요.

(1) 반복되는 부분을 찾아 ⬭로 묶어 보세요.

(2) ☐ 안에 들어갈 모양의 물건을 주변에서 두 가지만 찾아 써 보세요.

(   )

2-1 규칙을 2와 3으로 나타내려고 합니다. 빈칸에 들어갈 수의 합을 구해 보세요.

2	3	2	3	2			3

(　　　　)

- 구하려는 것: 빈칸에 들어갈 수의 합
- 주어진 조건: 규칙에 따라 같은 물건을 같은 수로 나타냄.
- 해결 전략: ❶ 반복되는 부분을 찾아 각 물건을 어떤 수로 나타냈는지 알아봅니다.
  ❷ 빈칸에 들어갈 수를 알아본 후 합을 구합니다.

4주
1일

2-2 규칙을 0, 2, 4로 나타내려고 합니다. 빈칸에 들어갈 수의 합을 구해 보세요.

2	4	0	2	4	0		4	

(　　　　)

2-3 규칙을 4, 5, 6으로 나타내려고 합니다. 빈칸에 들어갈 수의 합을 구해 보세요.

6	5	4		5		6		4

(　　　　)

1
코딩

주어진 방법과 같이 악보에 맞게 손뼉치기를 하거나 발구르기를 하려고 합니다.
규칙에 따라 악보를 완성하면 발구르기를 모두 몇 번 해야 할까요?

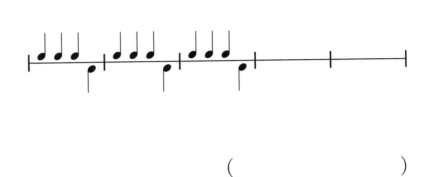

(   )

2
추론

북 장단과 같은 규칙으로 꽹과리 장단을 만들려고 합니다. 물음에 답하세요.

[북 장단]

둥	두	두	둥	둥	두	두	둥	둥	두	두	둥

[꽹과리 장단]

갱	개	개	갱								

(1) 북 장단의 규칙을 써 보세요.

_____

_____

(2) 꽹과리 장단의 빈칸을 알맞게 채워 보세요.

▶ 정답 및 해설 26쪽

3 문제 해결

규칙에 따라 빈칸에 알맞은 모양과 같은 모양의 물건은 모두 몇 개일까요?

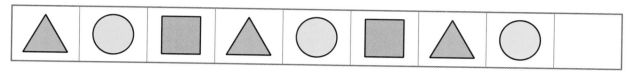

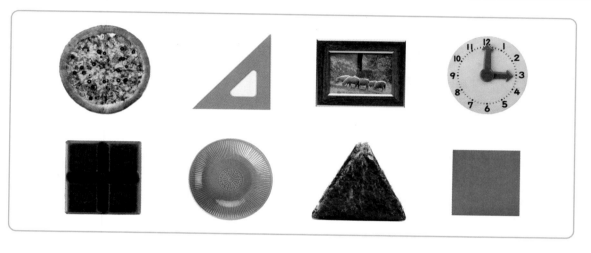

(   )

4 창의·융합

안나네 반 학생들이 규칙에 따라 1번부터 차례로 동물 흉내를 내고 있습니다. 14번인 안나가 흉내 낼 동물은 무엇일까요?

┌토끼 ┌악어 ┌코끼리

1번 2번 3번 4번 5번 6번 7번 8번 9번

(   )

1 **수 배열에서 규칙 찾기**

- **수가 반복되는 규칙**

  첫 번째 수와 같은 수가 나오면 어느 수가 반복되는지 알아봅니다.

  예 | 1 | 2 | 1 | 2 | 1 | 2 | 1 | 2 | → 1, 2가 반복됩니다.

  └→ 첫 번째와 같은 수

- **수가 커지는 규칙**

  오른쪽으로 갈수록 큰 수가 있으면 얼마씩 커지는지 알아봅니다.

  예 | 1 | 2 | 3 | 4 | 5 | 6 | 7 | 8 | → 1씩 커집니다.

- **수가 작아지는 규칙**

  오른쪽으로 갈수록 작은 수가 있으면 얼마씩 작아지는지 알아봅니다.

  예 | 8 | 7 | 6 | 5 | 4 | 3 | 2 | 1 | → 1씩 작아집니다.

활동 문제 규칙에 따라 알맞은 수를 찾아보세요.

1 수가 반복되는 규칙에 따라 빈칸에 알맞은 수를 찾아 ○표 하세요.

2 — 3 — 2 — 3 — 2 — 3 — 2 — ☐ | 2 | 3 |

2 수가 커지는 규칙에 따라 빈칸에 알맞은 수를 찾아 ○표 하세요.

3 — 4 — 5 — 6 — 7 — 8 — 9 — ◇ | 10 | 11 |

3 수가 작아지는 규칙에 따라 빈칸에 알맞은 수를 찾아 ○표 하세요.

9 — 8 — 7 — 6 — 5 — 4 — 3 — ○ | 1 | 2 |

2 수 배열표에서 규칙 찾기

1	2	3	4	5	6	7	8	9	10
11	12	13	14	15	16	17	18	19	20
21	22	23	24	25	26	27	28	29	30
31	32	33	34	35	36	37	38	39	40

① ----에 있는 수: 21부터 시작하여 오른쪽으로 1칸 갈 때마다 1씩 커집니다.

② ----에 있는 수: 3부터 시작하여 아래쪽으로 1칸 갈 때마다 10씩 커집니다.

③ 색칠한 수는 5부터 시작하여 5씩 뛰어 세는 규칙입니다.

4주
2일

활동 문제 수 배열표를 보고 □ 안에 알맞은 수를 써넣으세요.

61	62	63	64	65	66	67	68	69	70
71	72	73	74	75	76	77	78	79	80
81	82	83	84	85	86	87	88	89	90
91	92	93	94	95	96	97	98	99	100

❶ ----에 있는 수들은 71부터 시작하여 오른쪽으로 1칸 갈 때마다 □씩 커집니다.

❷ ----에 있는 수들은 68부터 시작하여 아래쪽으로 1칸 갈 때마다 □씩 커집니다.

❸ 색칠한 수는 66부터 시작하여 □씩 뛰어 세는 규칙입니다.

1-1 보기 와 같은 규칙에 따라 수를 놓을 때 ★에 알맞은 수를 구해 보세요.

보기
| 11 − 13 − 15 − 17 − 19 |

(   )

보기 에 있는 수들의 규칙을 알아봅니다.

1-2 보기 와 같은 규칙에 따라 수를 놓을 때 💜에 알맞은 수를 구해 보세요.

보기
20 − 23 − 26 − 29 − 32

(1) 보기 에 있는 수들의 규칙을 알아보려고 합니다. 알맞은 것에 ○표 하세요.

규칙 20부터 시작하여 (2 , 3)씩 (커지는 , 작아지는) 규칙입니다.

(2) 💜에 알맞은 수를 구해 보세요.

(   )

1-3 보기 와 같은 규칙에 따라 수를 놓을 때 ◆에 알맞은 수를 구해 보세요.

보기
59 − 55 − 51 − 47 − 43

(1) 보기 에 있는 수들의 규칙을 알아보려고 합니다. 알맞은 것에 ○표 하세요.

규칙 59부터 시작하여 (4 , 5)씩 (커지는 , 작아지는) 규칙입니다.

(2) ◆에 알맞은 수를 구해 보세요.

(   )

▶정답 및 해설 27쪽

2-1 수 배열표의 색칠된 부분의 규칙에 따라 나머지 부분을 색칠했을 때 색칠한 수 중 가장 큰 수는 얼마인지 구해 보세요.

1	2	3	4	5	6	7	8	9	10
11	12	13	14	15	16	17	18	19	20
21	22	23	24	25	26	27	28	29	30
31	32	33	34	35	36	37	38	39	40
41	42	43	44	45	46	47	48	49	50

(　　　　　　　　)

- 구하려는 것: 수 배열표에 색칠한 수 중 가장 큰 수
- 주어진 조건: 수 배열표에 색칠된 수
- 해결 전략: ❶ 수 배열표의 색칠된 부분의 규칙을 알아봅니다.
  ❷ ❶에서 찾은 규칙에 따라 더 색칠한 수 중 가장 큰 수를 알아봅니다.

2-2 수 배열표의 색칠된 부분의 규칙에 따라 나머지 부분을 색칠했을 때 색칠한 수 중 가장 큰 수는 얼마인지 구해 보세요.

51	52	53	54	55	56	57	58	59	60
61	62	63	64	65	66	67	68	69	70
71	72	73	74	75	76	77	78	79	80
81	82	83	84	85	86	87	88	89	90
91	92	93	94	95	96	97	98	99	100

(　　　　　　　　)

1 자유롭게 수 배열의 규칙을 정하고 정한 규칙에 따라 빈칸에 수를 써넣으세요.

코딩

내가 정한 규칙 _____

2 규칙에 따라 수를 늘어놓았을 때 10번째에 놓이는 수는 얼마일까요?

문제 해결

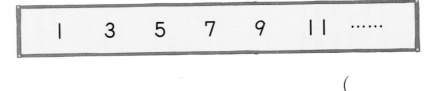

| 1 | 3 | 5 | 7 | 9 | 11 | ...... |

(   )

3 규칙에 따라 화살을 맞혀 풍선을 터뜨리고 있습니다. 더 터뜨려야 할 풍선은 모두 몇 개일까요?

문제 해결

(   )

4 두 사물함의 번호는 1부터 16까지입니다. 서로 다른 규칙이 나타나게 빈칸에 알맞은 수를 써넣으세요.

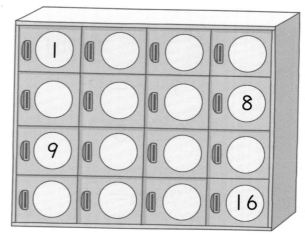

5 오누이가 호랑이를 피해 하늘로 올라가려고 합니다. 오누이가 타고 올라가야 할 밧줄을 찾아 기호를 써 보세요.

(   )

1 (몇)+(몇)=(십몇) 계산하는 방법 알아보기

예 9+6의 계산

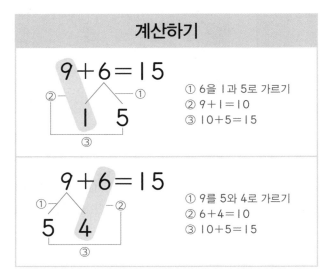

계산하기	덧셈식으로 알아보기

계산하기

$9+6=15$

① 6을 1과 5로 가르기
② $9+1=10$
③ $10+5=15$

$9+6=15$

① 9를 5와 4로 가르기
② $6+4=10$
③ $10+5=15$

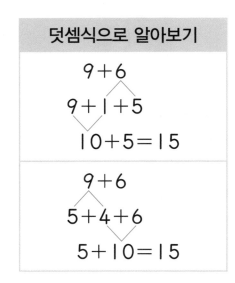

덧셈식으로 알아보기

$9+6$
$9+1+5$
$10+5=15$

$9+6$
$5+4+6$
$5+10=15$

활동 문제 운동장에 있는 학생은 모두 몇 명인지 알아보세요.

❶ 빈 곳에 알맞은 수만큼 ○를 그려 보세요.

줄 서 있는 학생 수   줄 서지 않은 학생 수

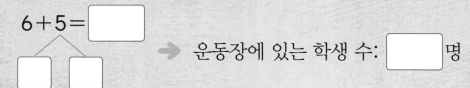

❷ ☐ 안에 알맞은 수를 써넣어 운동장에 있는 학생은 모두 몇 명인지 알아보세요.

$6+5=$ ☐

➡ 운동장에 있는 학생 수: ☐ 명

2 덧셈을 하고 규칙 찾기

$5+6=11$
$5+7=12$
$5+8=13$
$5+9=14$

규칙
같은 수에 1씩 커지는 수를 더하면 합도 1씩 커집니다.

$9+7=16$
$8+7=15$
$7+7=14$
$6+7=13$

규칙
1씩 작아지는 수에 같은 수를 더하면 합도 1씩 작아집니다.

활동 문제 덧셈을 해 보고 알게 된 점을 쓰려고 합니다. □ 안에 알맞은 수나 말을 써넣으세요.

1

$6+4=$ ☐
$6+5=$ ☐
$6+6=$ ☐
$6+7=$ ☐

알게 된 점
같은 수에 1씩 커지는 수를 더하면 합도 ☐ 씩 커집니다.

2

$9+6=$ ☐
$8+6=$ ☐
$7+6=$ ☐
$6+6=$ ☐

알게 된 점
1씩 작아지는 수에 같은 수를 더하면 합도 ☐ 씩 작아집니다.

3

$7+8=$ ☐
$8+7=$ ☐
$5+6=$ ☐
$6+5=$ ☐

알게 된 점
두 수를 서로 바꾸어 더해도 합은
☐ .

1-1 두 수의 합을 구하여 표를 완성하고 규칙을 찾아보려고 합니다. 빈칸에 알맞은 수를 써넣고 알맞은 말에 ○표 하세요.

+	2	3	4	5	6	7
4	6	7	8	9		11
5	7	8	9		11	12
6	8	9		11	12	13
7	9		11	12	13	14

2+4=6과 같이 가로 줄의 수에 세로 줄의 수를 더합니다.

규칙

↙ 방향의 ■+▲에서 ■는 1씩 작아지고 ▲는 1씩 커지면 두 수의 합은 (같습니다 , 다릅니다).

가로 줄의 수와 세로 줄의 수의 합을 구합니다.

1-2 두 수의 합을 구하여 표를 완성하고 규칙을 찾아보려고 합니다. 빈칸에 알맞은 수를 써넣고 알맞은 말에 ○표 하세요.

+	4	5	6	7	8	9
6	10		12	13	14	15
7	11	12		14	15	16
8	12	13	14		16	17
9	13	14	15	16		18

규칙

↘ 방향의 ■+▲에서 ■는 1씩 커지고 ▲도 1씩 커지면 두 수의 합은 2씩 (커집니다 , 작아집니다).

▶정답 및 해설 28쪽

2-1 연필을 윤호는 3자루 가지고 있고, 민주는 윤호보다 9자루 더 많이 가지고 있습니다. 윤호와 민주가 가지고 있는 연필은 모두 몇 자루일까요?

(   )

- 구하려는 것: 윤호와 민주가 가지고 있는 연필의 수
- 주어진 조건: 윤호가 가지고 있는 연필의 수, 민주는 윤호보다 9자루 더 많이 가지고 있음.
- 해결 전략: ❶ 민주가 가지고 있는 연필의 수를 구합니다.
  ❷ 윤호가 가지고 있는 연필의 수와 ❶의 합을 구합니다.

2-2 준필이는 7살입니다. 누나의 나이는 준필이보다 5살 더 많고, 형의 나이는 누나보다 4살 더 많습니다. 형의 나이는 몇 살일까요?

(   )

2-3 안나와 원재는 어제와 오늘 칭찬 붙임딱지를 받았습니다. 안나와 원재가 2일 동안 받은 칭찬 붙임딱지는 모두 몇 장일까요?

	어제 받은 칭찬 붙임딱지 수	오늘 받은 칭찬 붙임딱지 수
안나	8장	4장
원재	6장	7장

(   )

1 그림에 알맞은 덧셈 문제를 만들고 답을 구하려고 합니다. ☐ 안에 알맞은 수를 써넣으세요.

문제 해결

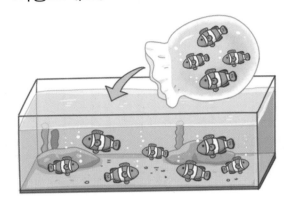

문제 물고기 ☐마리가 있는 어항에 물고기 ☐마리를 더 넣었습니다.
어항 속에 있는 물고기는 모두 몇 마리일까요?

답 ☐마리

2 현철이가 타일을 6장 붙인 다음 타일을 더 붙여 빈칸을 모두 채웠습니다. 현철이가 붙인 타일은 모두 몇 장일까요?

창의·융합

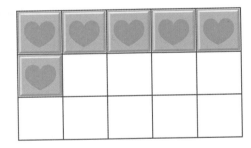 

( )

3 옆으로 덧셈식이 되는 세 수를 찾아 표 해 보세요.

문제 해결

덧셈식을 3개 더 찾아보세요.

2	+	9	=	11	5	4
7	8	6	14	1
6	4	7	5	12
9	9	18	2	3

4
추론

다음 그림에 나타난 덧셈식에는 일정한 규칙이 있습니다. 물음에 답하세요.

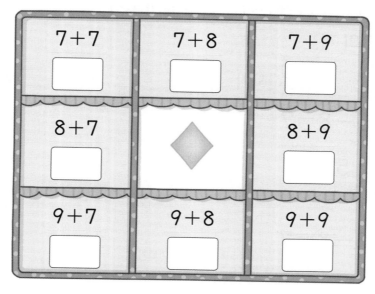

(1) 위 그림의 ☐ 안에 알맞은 수를 써넣으세요.

(2) ◆이 있는 칸에 들어갈 덧셈식은 ☐+☐=☐ 입니다.

(3) ◆이 있는 칸에 들어갈 덧셈식과 합이 같은 덧셈식 **2**개를 그림에서 찾

아보면 ☐+☐, ☐+☐ 입니다.

5
추론

수정이는 상자에서 꺼낸 공에 적힌 두 수의 합을 윤석이보다 크게 하려고 합니다. 수정이는 어떤 수가 적힌 공을 꺼내야 할까요?

(   )

1 (십몇)−(몇)=(몇) 계산하는 방법 알아보기

예 15−8의 계산

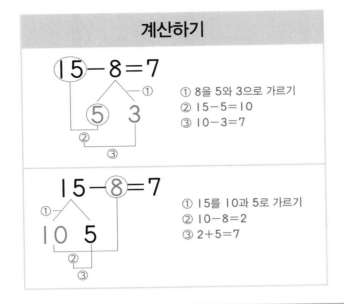

활동 문제 인형 1개에 모자 1개를 씌우려면 더 필요한 모자는 몇 개인지 알아보세요.

1 준비한 모자의 수만큼 /으로 지워 보세요.

인형의 수   더 필요한 모자의 수

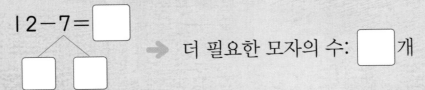

2 □ 안에 알맞은 수를 써넣어 더 필요한 모자는 몇 개인지 알아보세요.

12−7=□

→ 더 필요한 모자의 수: □개

2 뺄셈을 하고 규칙 찾기

$12-4=8$
$12-5=7$
$12-6=6$
$12-7=5$

규칙

같은 수에서 1씩 커지는 수를 빼면 차는 1씩 작아집니다.

$13-8=5$
$14-8=6$
$15-8=7$
$16-8=8$

규칙

1씩 커지는 수에서 같은 수를 빼면 차는 1씩 커집니다.

활동 문제   뺄셈을 해 보고 알게 된 점을 쓰려고 합니다. □ 안에 알맞은 수를 써넣으세요.

4주
4일

①
$11-4=$ □
$11-5=$ □
$11-6=$ □
$11-7=$ □

알게 된 점

같은 수에서 1씩 커지는 수를 빼면 차는 □씩 작아집니다.

②
$12-6=$ □
$13-6=$ □
$14-6=$ □
$15-6=$ □

알게 된 점

1씩 커지는 수에서 같은 수를 빼면 차는 □씩 커집니다.

③
$13-4=$ □
$14-5=$ □
$15-6=$ □
$16-7=$ □

알게 된 점

1씩 커지는 수에서 □씩 커지는 수를 빼면 차는 항상 똑같습니다.

1-1 두 수의 차를 구하여 표를 완성하고 규칙을 찾아보려고 합니다. 빈칸에 알맞은 수를 써넣고 알맞은 말에 ○표 하세요.

11−2=9와 같이 가로 줄의 수에서 세로 줄의 수를 뺍니다.

−	11	12	13	14	15	16
2	(9)		11	12	13	14
3	8	9		11	12	13
4	7	8	9		11	12
5	6	7	8	9		11

규칙

╲ 방향의 ■−▲에서 ■는 1씩 커지고 ▲도 1씩 커지면 두 수의 차는 (같습니다 , 다릅니다).

가로 줄의 수와 세로 줄의 수의 차를 구합니다.

1-2 두 수의 차를 구하여 표를 완성하고 규칙을 찾아보려고 합니다. 빈칸에 알맞은 수를 써넣고 알맞은 말에 ○표 하세요.

−	14	15	16	17	18	19
6	8	9	10	11		13
7	7	8	9		11	12
8	6	7		9	10	11
9	5		7	8	9	10

규칙

╱ 방향의 ■−▲에서 ■는 1씩 작아지고 ▲는 1씩 커지면 두 수의 차는 2씩 (커집니다 , 작아집니다).

2-1 아라는 사탕을 15개 가지고 있었습니다. 그중에서 7개를 동생에게 주고 4개를 먹었습니다. 아라에게 남아 있는 사탕은 몇 개일까요?

(   )

- 구하려는 것: 아라에게 남아 있는 사탕의 수
- 주어진 조건: 아라가 처음에 가지고 있던 사탕의 수, 동생에게 준 사탕의 수, 아라가 먹은 사탕의 수
- 해결 전략: ❶ 동생에게 주고 남은 사탕의 수를 구합니다.
    ❷ ❶에서 구한 사탕의 수에서 아라가 먹은 사탕의 수를 뺍니다.

2-2 민규는 구슬을 17개 가지고 있었습니다. 그중에서 8개를 누나에게 주고 6개를 잃어버렸습니다. 민규에게 남아 있는 구슬은 몇 개일까요?

(   )

2-3 윤석이의 휴대 전화 비밀번호는 ㉠, ㉡, ㉢, ㉣의 계산 결과를 차례대로 쓴 것입니다. 비밀번호를 구해 보세요.

㉠	㉡	㉢	㉣
12 − 4	13 − 9	15 − 8	16 − 7

(   )

4주
4일

1 문제 해결

그림에 알맞은 뺄셈 문제를 만들고 답을 구하려고 합니다. ☐ 안에 알맞은 수를 써넣으세요.

문제 모자는 ☐개, 목도리는 ☐개 있습니다. 모자는 목도리보다 몇 개 더 많을까요?

답 ☐개

2 추론

다음 그림에 나타난 뺄셈식에는 일정한 규칙이 있습니다. 물음에 답하세요.

13-4 9	13-5 8	13-6 7	13-7 6	13-8 5
	14-5 9	14-6 8	14-7 7	14-8 6
		15-6 9	15-7 8	15-8 7
			16-7 9	16-8 8
				17-8 9

(1) 보기 와 같이 규칙을 찾아 표시한 부분의 규칙을 완성해 보세요.

보기

⬇ : 1씩 커지는 수에서 같은 수를 빼면 차는 1씩 커집니다.

➡ : 같은 수에서 1씩 커지는 수를 빼면 차는 _____

(2) 다른 규칙을 한 군데 더 찾아 색연필로 화살표를 그리고 규칙을 써 보세요.

규칙 _____

3

(코딩)

다음 순서대로 길을 따라 도착한 곳에 보물 상자가 있습니다. 중언이가 지나간 길을 나타내고 보물 상자가 있는 칸에 ◯표 하세요.

> 오른쪽으로 (12−8)칸 ➡ 아래쪽으로 (11−8)칸
> ➡ 오른쪽으로 (12−7)칸 ➡ 아래쪽으로 (11−9)칸

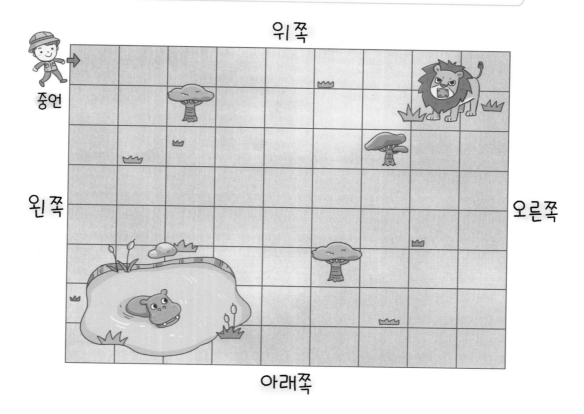

4

(창의·융합)

왼쪽과 같은 다트판이 있습니다. 빨간색 부분은 점수를 얻고, 파란색 부분은 점수를 잃습니다. 민준이와 세인이 중 점수가 더 높은 사람은 누구일까요?

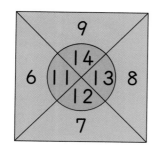

난 14와 9를 맞혔어.

민준

난 11과 7을 맞혔어.

세인

(   )

1 모르는 수 구하기

· 덧셈식을 만들어 구하기

예 어떤 수에 8을 더한 값이 13일 때 어떤 수 구하기

$\square+8=13$ —어떤 수를 $\square$라 하고 식을 만듭니다.

—— 덧셈과 뺄셈의 관계를 이용합니다.

$13-8=\square$, $\square=5$

➡ 어떤 수는 5입니다.

· 뺄셈식을 만들어 구하기

예 어떤 수에서 7을 뺀 값이 9일 때 어떤 수 구하기

$\square-7=9$ —어떤 수를 $\square$라 하고 식을 만듭니다.

—— 덧셈과 뺄셈의 관계를 이용합니다.

$9+7=\square$, $\square=16$

➡ 어떤 수는 16입니다.

| 덧셈과 뺄셈의 관계 | $\blacksquare+\blacktriangle=\bullet$ ➡ $\begin{bmatrix} \bullet-\blacksquare=\blacktriangle \\ \bullet-\blacktriangle=\blacksquare \end{bmatrix}$ | $\bullet-\blacktriangle=\blacksquare$ ➡ $\begin{bmatrix} \blacksquare+\blacktriangle=\bullet \\ \blacktriangle+\blacksquare=\bullet \end{bmatrix}$ |

활동 문제 토끼가 지나가는 길에 있는 덧셈식을 계산한 값이 나무에 적혀 있습니다. $\square$ 안에 알맞은 수를 써넣으세요.

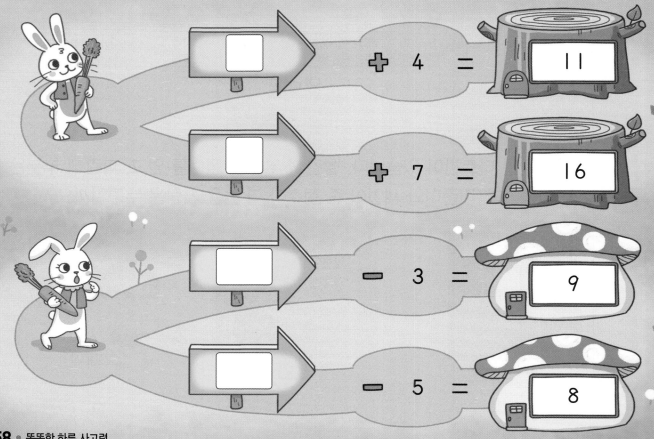

$\square + 4 = $ 11

$\square + 7 = $ 16

$\square - 3 = $ 9

$\square - 5 = $ 8

2 > 또는 <가 있는 식에서 □ 안에 알맞은 수 찾기

① > 또는 <를 =로 바꿔 계산했을 때의 □의 값을 구합니다.

② 조건을 만족하는 수는 □ 안의 수보다 큰 수인지, 작은 수인지 생각해 봅니다.

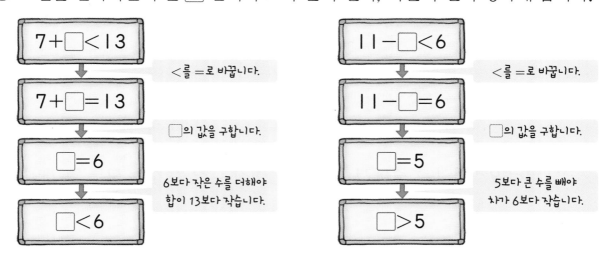

7+□<13	<를 =로 바꿉니다.
7+□=13	
□=6	□의 값을 구합니다.
□<6	6보다 작은 수를 더해야 합이 13보다 작습니다.

11-□<6	<를 =로 바꿉니다.
11-□=6	
□=5	□의 값을 구합니다.
□>5	5보다 큰 수를 빼야 차가 6보다 작습니다.

4주
5일

활동 문제 9+□<12의 □ 안에 들어갈 수 있는 수를 구하는 순서에 맞게 구슬을 꿰어 보세요.

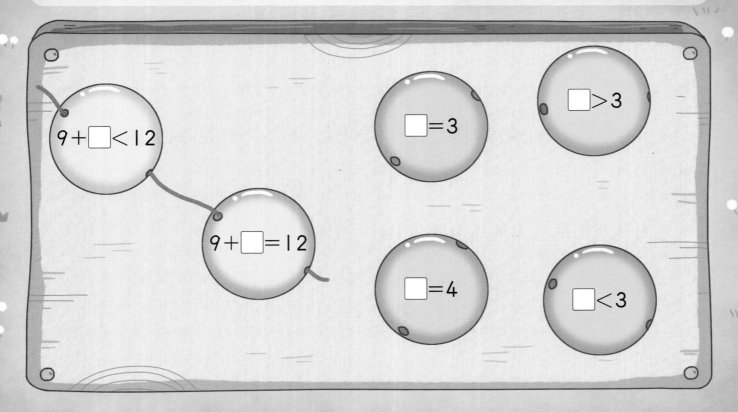

9+□<12

9+□=12

□=3

□>3

□=4

□<3

1-1 1부터 9까지의 수 중에서 □ 안에 들어갈 수 있는 수는 모두 몇 개일까요?

$$5+\square>11$$

(   )

❶ > 또는 <를 =로 바꿔 계산했을 때의 □의 값을 구합니다.
❷ 조건을 만족하는 수는 ❶에서 구한 □의 값보다 큰 수인지, 작은 수인지 생각해 봅니다.

1-2 1부터 9까지의 수 중에서 □ 안에 들어갈 수 있는 수는 모두 몇 개일까요?

$$12-\square>7$$

(1) >를 =로 바꿔 계산했을 때의 □의 값을 구해 보세요.

(   )

(2) □ 안에 들어갈 수 있는 수는 모두 몇 개일까요?

(   )

1-3 1부터 9까지의 수 중에서 □ 안에 들어갈 수 있는 가장 큰 수는 얼마일까요?

$$8+\square<7+9$$

(1) <를 =로 바꿔 계산했을 때의 □의 값을 구해 보세요.

(   )

(2) □ 안에 들어갈 수 있는 가장 큰 수는 얼마일까요?

(   )

2-1 어떤 수에서 4를 빼야 할 것을 잘못하여 더했더니 12가 되었습니다. 바르게 계산한 값을 구해 보세요.

어떤 수를 구할 땐 잘못 계산한 식을 이용하세요.

(　　　　　　　　)

- 구하려는 것: 바르게 계산한 값
- 주어진 조건: 어떤 수에서 4를 빼야 할 것을 잘못하여 더했더니 12가 됨.
- 해결 전략: ❶ 어떤 수를 ☐라 하여 ☐를 구하는 식을 세웁니다.
  ❷ 덧셈과 뺄셈의 관계를 이용하여 ☐의 값을 구합니다.
  ❸ 바르게 계산합니다.

4주
5일

2-2 대화를 읽고 바르게 계산한 값을 구해 보세요.

어떡하지?
어떤 수에서 6을 빼야 할 것을 잘못하여 더했더니 15가 되었어.

그럼 어떤 수부터 구한 다음 다시 바르게 계산하면 돼.

(　　　　　　　　)

2-3 어떤 수에 5를 더해야 할 것을 잘못하여 뺐더니 7이 되었습니다. 바르게 계산한 값을 구해 보세요.

(　　　　　　　　)

1 연아가 동생과 눈싸움을 한 후 쓴 그림 일기입니다. □ 안에 알맞은 식이나 수를
써넣으세요.

창의 · 융합

나는 눈뭉치를 7개 만들었어요. 나와 동생이 만든 눈뭉치가 모두 15개이니까
동생이 만든 눈뭉치를 ■라 하여 ■를 사용한 식으로 나타내면

예요. 동생은 눈뭉치를 □개 만들었네요.

2 다음 저울은 계산한 값이 큰 쪽으로 기울어집니다. 왼쪽 저울의 빈 추에는 1부
터 9까지의 수가 들어갈 수 있고 오른쪽으로 기울어져 있도록 할 때 빈 추에 들
어갈 수 있는 수는 모두 몇 개일까요?

추론

(   )

3
추론

다음과 같이 두 수 중 큰 수를 왼쪽에 넣고, 작은 수를 오른쪽에 넣으면 상자의 규칙에 따라 새로운 수가 나오는 요술 상자가 있습니다. 빈 곳에 알맞은 수를 써 넣으세요.

(1)

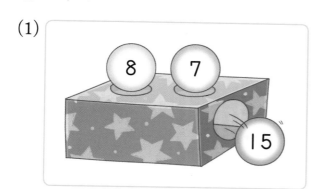

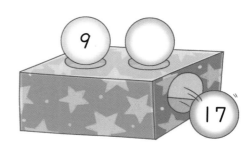

(2)

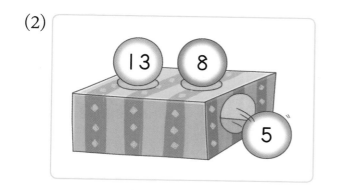

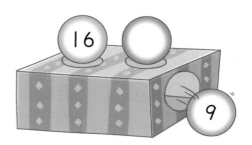

4
문제 해결

1부터 9까지의 수 중에서 ☐ 안에 공통으로 들어갈 수 있는 수를 모두 구해 보세요.

$2+\square<15-7$

$12-9<\square$

(   )

1 계산 결과가 같은 식을 들고 있는 양들은 한가족입니다. ☐ 안에 알맞은 수를 써넣고 한가족인 양들을 모두 찾아 ○표 하세요. 창의·융합

2 기차의 기관사 아저씨 질문에 바르게 답해야 할머니 댁에 갈 수 있습니다. 새별이가 할머니 댁에 갈 수 있도록 알맞게 답하세요. 창의·융합

3 두 수의 차가 작은 것부터 차례대로 점을 이어서 그림을 완성해 보세요. 창의·융합

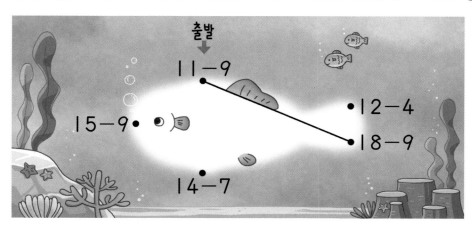

4 같은 모양에 쓰인 수의 합을 구해 보세요. 문제 해결

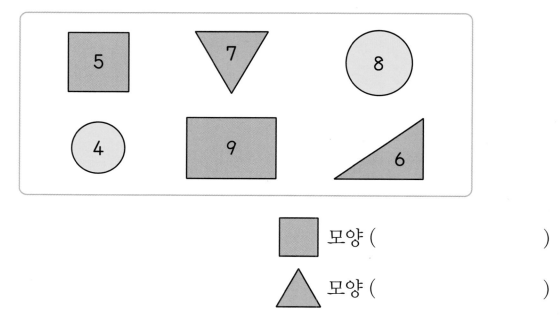

◻ 모양 (   )

△ 모양 (   )

◯ 모양 (   )

5 피아노 건반에 번호를 붙였습니다. 1부터 2씩 커지는 규칙으로 건반을 누를 때 빈칸에 알맞게 써넣으세요. 창의·융합

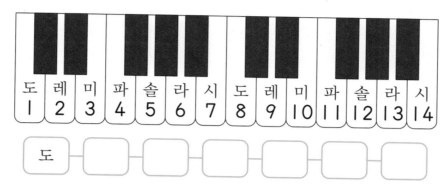

도						

6 수 배열표의 색깔별로 색칠된 부분의 규칙에 따라 나머지 부분을 색칠했을 때 두 가지 색깔이 모두 색칠된 칸에 있는 수는 무엇일까요? 문제 해결

31	32	33	34	35	36	37	38	39	40
41	42	43	44	45	46	47	48	49	50
51	52	53	54	55	56	57	58	59	60
61	62	63	64	65	66	67	68	69	70

(   )

7 다음과 같이 규칙에 따라 색칠한 칸의 글자 8개를 차례대로 이어서 쓰면 어떤 문장이 되는지 알아보세요. 코딩

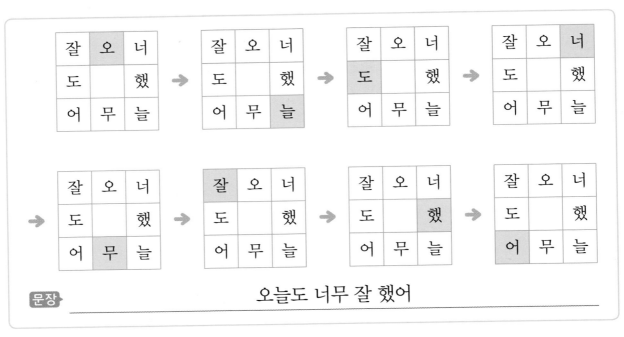

문장　　오늘도 너무 잘 했어

❶ 색칠한 칸이 움직이는 규칙입니다. ☐ 안에 알맞은 수를 써넣으세요.

색칠한 칸은 시계 방향으로 ☐ 칸씩 움직입니다.

시계 방향은 시계의 바늘이 움직이는 방향을 말해.

❷ 다음 암호판에서 색칠한 칸은 위와 같은 규칙으로 움직입니다. 색칠한 칸의 글자 8개를 차례대로 이어서 쓰면 어떤 문장이 되는지 써 보세요.

고	하	어
있		로
잘	최	고

문장

8 카드에 적힌 두 수의 차가 더 작은 사람이 이기는 놀이를 하여 민준이가 이겼습니다. 민준이가 주어진 카드 중에서 고른 두 장의 카드에 적힌 수를 써 보세요. (단, 민준이는 세인이가 고른 카드를 고를 수 없습니다.) 추론

세인   민준

(   )

9 규칙에 따라 모양을 그리고 있습니다. 일곱째 줄에 있는 모양 중 가장 적게 있는 모양에 ◯표 하세요. 추론

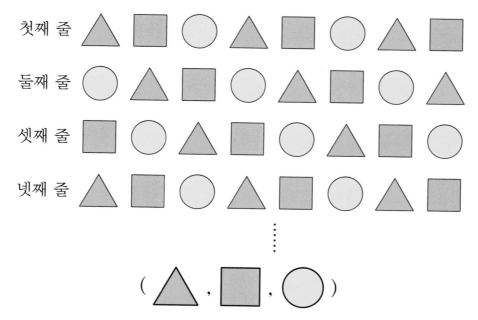

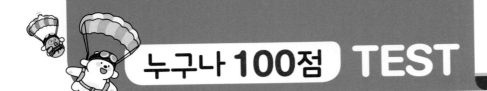
1 규칙에 따라 □ 안에 들어갈 모양의 물건을 주변에서 두 가지만 찾아 써 보세요.

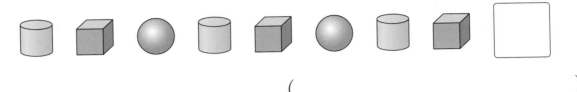

( )

2 수 배열표의 색칠된 부분의 규칙에 따라 나머지 부분을 색칠했을 때 색칠한 수 중 가장 큰 수는 얼마인지 구해 보세요.

31	32	33	34	35	36	37	38	39	40
41	42	43	44	45	46	47	48	49	50
51	52	53	54	55	56	57	58	59	60
61	62	63	64	65	66	67	68	69	70
71	72	73	74	75	76	77	78	79	80

( )

3 보기 와 같은 규칙에 따라 수를 놓을 때 ★에 알맞은 수를 구해 보세요.

보기
48 − 45 − 42 − 39 − 36

75 — □ — □ — □ — ★

( )

4 1부터 9까지의 수 중에서 □ 안에 들어갈 수 있는 수는 모두 몇 개일까요?

$$9 + \square > 14$$

( )

5 연필을 정수는 5자루 가지고 있고, 예지는 정수보다 6자루 더 많이 가지고 있습니다. 정수와 예지가 가지고 있는 연필은 모두 몇 자루일까요?

(   )

6 수정이는 사탕을 16개 가지고 있었습니다. 그중에서 9개를 동생에게 주고 2개를 먹었습니다. 수정이에게 남아 있는 사탕은 몇 개일까요?

(   )

4주
테스트

7 어떤 수에 4를 더해야 할 것을 잘못하여 빼었더니 9가 되었습니다. 바르게 계산한 값을 구해 보세요.

(   )

8 상현이와 가은이는 어제와 오늘 칭찬 붙임딱지를 받았습니다. 상현이와 가은이가 2일 동안 받은 칭찬 붙임딱지는 모두 몇 장일까요?

	어제 받은 칭찬 붙임딱지 수	오늘 받은 칭찬 붙임딱지 수
상현	9장	5장
가은	3장	8장

(   )

memo

초등 수학 기초 학습 능력 강화 교재

2021 신간

하루하루 쌓이는 수학 자신감!

똑똑한 하루

수학 시리즈

초등 수학 첫 걸음

수학 공부, 절대 지루하면 안 되니까~
하루 10분 학습 커리큘럼으로
쉽고 재미있게 수학과 친해지기!

학습 영양 밸런스

〈수학〉은 물론 〈계산〉, 〈도형〉, 〈사고력〉편까지
초등 수학 전 영역을 커버하는 맞춤형 교재로
편식은 NO! 완벽한 수학 영양 밸런스!

창의·사고력 확장

초등학생에게 꼭 필요한 수학 지식과
창의·융합·사고력 확장을 위한
재미있는 문제 구성으로 힘찬 워밍업!

우리 아이 공부습관 프로젝트! 초1~초6

하루 수학 (총 6단계, 12권)

하루 계산 (총 6단계, 12권)

하루 도형 (총 6단계, 6권)

하루 사고력 (총 6단계, 12권)

✂ 쉽다!

10분이면 하루치 공부를 마칠 수 있는 커리큘럼으로,
아이들이 초등 학습에 쉽고 재미있게 접근할 수 있도록 구성하였습니다.

🧩 재미있다!

교과서는 물론 생활 속에서 쉽게 접할 수 있는 다양한 소재와
재미있는 게임 형식의 문제로 흥미로운 학습이 가능합니다.

📖 똑똑하다!

초등학생에게 꼭 필요한 학습 지식 습득은 물론
창의력 확장까지 가능한 교재로 올바른 공부습관을 가지는 데 도움을 줍니다.

정답 및 해설

똑똑한

하루
사고력

초등
수학 **1B**
1학년 수준

천재교육

정답 및 해설
포인트 3가지

▶ 한눈에 알아볼 수 있는 정답 제시

▶ 혼자서도 이해할 수 있는 문제 풀이

▶ 꼭 필요한 사고력 유형 풀이 제시

똑 똑 한
하루
사고력

창의·융합·서술·코딩

정답 및 해설

초등
수학 ｜ **1B**
1학년 수준

정답 및 해설

1주에는 무엇을 공부할까? ❷ 　　　　6쪽~7쪽

1-1 7, 8, 78　　　　1-2 54, 80, 79
2-1 98, 99, 100 ; 100
2-2 98, 100
3-1 작습니다에 ○표, < ; 큽니다에 ○표, >
3-2 > ; 큽니다에 ○표, 작습니다에 ○표
4-1 (1) 58　(2) 80　4-2 (1) 36　(2) 70
5-1 (1) 61　(2) 50　5-2 (1) 80　(2) 30

1-2 10개씩 묶음의 수와 낱개의 수를 차례로 씁니다.

2-1 96부터 수를 순서대로 씁니다. 99보다 1만큼
　　더 큰 수는 99 바로 뒤의 수인 100입니다.

2-2 99보다 1만큼 더 작은 수는 99 바로 앞의 수인
　　98이고, 99보다 1만큼 더 큰 수는 99 바로 뒤
　　의 수인 100입니다.

4-1 (1) 낱개끼리 더하고 10개씩 묶음을 내려 씁니다.
　　(2) 10개씩 묶음끼리 더하고 낱개에 0을 씁니다.

5-1 (1) 낱개끼리 빼고 10개씩 묶음을 내려 씁니다.
　　(2) 10개씩 묶음끼리 빼고 낱개에 0을 씁니다.

1일 개념·원리 길잡이 　　　　8쪽~9쪽

활동 문제 8쪽
❶ 60　❷ 53

활동 문제 9쪽
80, 71, 54

활동 문제 8쪽

❶ 10원짜리 동전이 6개이므로 60원입니다.
❷ 10원짜리 동전이 5개, 1원짜리 동전이 3개이므로
　　53원입니다.

활동 문제 9쪽

⋂의 수와 |의 수를 각각 세어 차례로 씁니다.

1일 서술형 길잡이 독해력 길잡이 　　10쪽~11쪽

1-1 75원
1-2 (1) 9개, 2개　(2) 92원
1-3 5, 6, 1, 61
2-1 (1) ⋂⋂⋂⋂⋂⋂⋂
　　(2) ⋂⋂⋂⋂⋂⋂ ||||
2-2 56살

1-1 10원짜리 동전의 수가 7개, 1원짜리 동전의 수
　　가 5개이므로 75원입니다.

1-2 (2) 10원짜리 동전의 수가 9개, 1원짜리 동전의
　　　　수가 2개이므로 92원입니다.

1-3 1원짜리 동전 10개를 10원짜리 동전 1개로 바
　　꾸면 10원짜리 동전의 수가 6개, 1원짜리 동전
　　의 수가 1개가 됩니다. ➡ 61원

2-1 고대 이집트 수에서 ⋂의 수는 10개씩 묶음의
　　수, |의 수는 낱개의 수를 나타냅니다.
　　(1) 70은 10개씩 묶음의 수가 7개이므로 ⋂을
　　　　7개 그립니다.
　　(2) 64는 10개씩 묶음의 수가 6개, 낱개의 수가
　　　　4개이므로 ⋂을 6개, |을 4개 그립니다.

2-2 **구하려는 것** 생일 주인공의 나이
　　주어진 조건 생일 케이크에 꽂힌 초
　　해결 전략 생일 케이크에 꽂힌 긴 초와 짧은 초를 각각 세고
　　차례로 써서 생일 주인공의 나이를 알아봅니다.
　　긴 초 5개, 짧은 초 6개가 꽂혀 있으므로 56살
　　입니다.

1일 사고력·코딩 　　　　12쪽~13쪽

1 (1) 3　(2) 2
2
3 75, 56
4

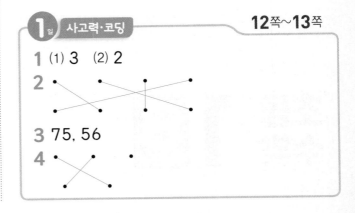

1 (1) 80원은 10원짜리 동전 8개가 있어야 하는데 5개만 있으므로 3개가 더 있어야 합니다.

(2) 55원은 10원짜리 동전 5개, 1원짜리 동전 5개가 있어야 하는데 1원짜리 동전은 3개뿐이므로 2개가 더 있어야 합니다.

2 긴 초의 수와 짧은 초의 수를 차례로 써서 생일 케이크의 초가 나타내는 나이를 알아보면 왼쪽 케이크부터 72살, 75살, 61살, 83살입니다.

3 ∩의 수와 |의 수를 각각 세어 차례로 씁니다.

4 • 집게: 10개씩 묶음 5개와 낱개 5개 ➡ 55
  • 망둥어: 10개씩 묶음 6개 ➡ 60
  • 흰동가리: 65
  • 딱총새우: 10개씩 묶음 6개 ➡ 60
  • 말미잘: 55원

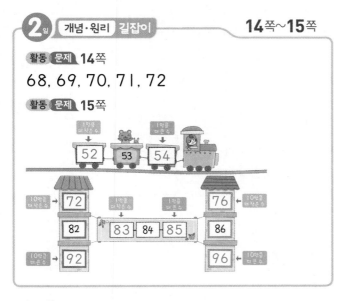

2일 개념·원리 길잡이 14쪽~15쪽

활동 문제 14쪽
68, 69, 70, 71, 72

활동 문제 15쪽

활동 문제 14쪽

67부터 순서대로 세면 67, 68, 69, 70, 71, 72, 73……입니다.
따라서 상자 안에 들어 있는 구슬에 쓰여진 수는 68, 69, 70, 71, 72입니다.

활동 문제 15쪽

1만큼 더 큰 수는 낱개의 수가 1개 더 많고 1만큼 더 작은 수는 낱개의 수가 1개 더 적습니다.
10만큼 더 큰 수는 10개씩 묶음의 수가 1개 더 많고 10만큼 더 작은 수는 10개씩 묶음의 수가 1개 더 적습니다.

2일 서술형 길잡이 독해력 길잡이 16쪽~17쪽

1-1 5명
1-2 (1) 88, 89, 90 (2) 3개 (3) 3팀
2-1 82살 **2-2** 51살 **2-3** 58살

정답 및 해설

1-1 53부터 수를 차례로 써 보면
53-54-55-56-57-58-59……이므로 53과 59 사이의 수는 5개입니다.
따라서 53번과 59번 사이에 서 있는 사람은 모두 5명입니다.

1-2 87부터 수를 차례로 써 보면
87-88-89-90-91……이므로 87과 91 사이의 수는 88, 89, 90으로 모두 3개입니다. 따라서 87번과 91번 사이에는 모두 3팀이 있습니다.

2-2 구하려는 것 고모의 나이

주어진 조건 아빠의 나이는 52살, 고모는 아빠보다 1살 더 어림

해결 전략 1살 더 어리므로 1만큼 더 작은 수를 알아봅니다.

52보다 1만큼 더 작은 수는 51이므로 고모의 나이는 51살입니다.

2-3 38보다 10만큼 더 큰 수는 48, 48보다 10만큼 더 큰 수는 58입니다.
따라서 38보다 20만큼 더 큰 수는 58이므로 할머니의 나이는 58살입니다.

2일 사고력·코딩 18쪽~19쪽

1 76, 77, 78, 79, 80, 81
2 4권   **3** 6개
4 2, 2, 2, 1, 1, 1, 11, 4, 1, 1
5

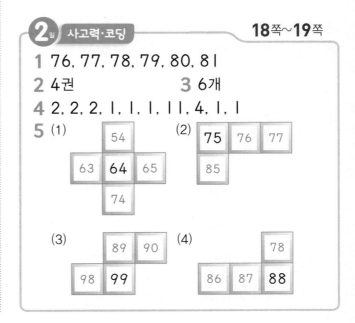

1 75부터 수를 순서대로 세어 76, 77, 78, 79, 80, 81을 □ 안에 써넣습니다.

2 62번과 67번 사이에 빠져 있는 책은 63번, 64번, 65번, 66번으로 모두 4권입니다.

3 ㉠은 86이고, ㉡은 93입니다.
86과 93 사이의 수는 87, 88, 89, 90, 91, 92로 모두 6개입니다.

4 59와 73 사이의 수는 60, 61, 62, 63, 64, 65, 66, 67, 68, 69, 70, 71, 72입니다.

➡ 60, 61, 62, 63, 64, 65, 66, 67, 68, 69, 70, 71, 72

5 규칙을 찾아보면 왼쪽으로 갈수록 1만큼 더 작아지고, 오른쪽으로 갈수록 1만큼 더 커집니다.
또 위로 갈수록 10만큼 더 작아지고, 아래로 갈수록 10만큼 더 커집니다.

3일 개념·원리 길잡이   **20쪽~21쪽**

활동 문제 **20쪽**
❶ 51, 15
❷ 27, 29, 72, 79, 92, 97
활동 문제 **21쪽**
❶ 84, 14   ❷ 65, 35

활동 문제 **20쪽**

❶
몇십	몇	몇십몇
5 — 1	➡	51
1 — 5	➡	15

❷
몇십	몇	몇십몇
2 < 7	➡	27
2 < 9	➡	29

몇십	몇	몇십몇
7 < 2	➡	72
7 < 9	➡	79

몇십	몇	몇십몇
9 < 2	➡	92
9 < 7	➡	97

활동 문제 **21쪽**
• 가장 큰 몇십몇 만들기: 10개씩 묶음의 수와 낱개의 수에 큰 수부터 차례로 놓습니다.
• 가장 작은 몇십몇 만들기: 10개씩 묶음의 수와 낱개의 수에 작은 수부터 차례로 놓습니다.

3일 서술형 길잡이   독해력 길잡이   **22쪽~23쪽**

1-1 6개
1-2 (1)

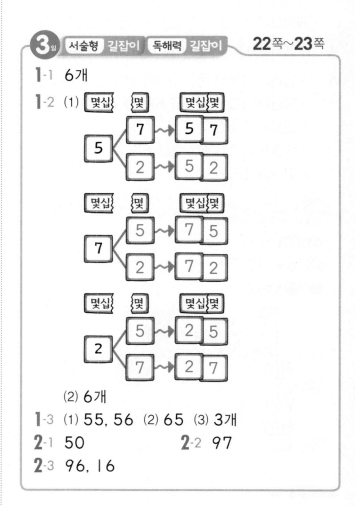

    (2) 6개
1-3 (1) 55, 56   (2) 65   (3) 3개
2-1 50   **2-2** 97
2-3 96, 16

1-1 69, 68, 96, 98, 86, 89로 모두 6개입니다.

2-1 5와 8 중에서 더 작은 수인 5를 10개씩 묶음의 수에 놓고, 남은 수 8과 0 중에서 더 작은 수인 0을 낱개의 수에 놓습니다. ➡ 50

2-2 구하려는 것 수 카드로 만들 수 있는 몇십몇 중 가장 큰 수
주어진 조건 4, 7, 9의 수 카드
해결 전략 10개씩 묶음의 수와 낱개의 수에 큰 수부터 차례로 놓습니다.
10개씩 묶음의 수와 낱개의 수에 큰 수부터 차례로 놓습니다. ➡ 97

2-3 · 만들 수 있는 가장 큰 수:
10개씩 묶음의 수와 낱개의 수에 큰 수부터
차례로 놓습니다. ➜ 96
· 만들 수 있는 가장 작은 수:
10개씩 묶음의 수와 낱개의 수에 작은 수부터
차례로 놓습니다. ➜ 16

3일 사고력·코딩   24쪽~25쪽

1 73, 78, 87, 83
2 51, 55, 56, 59, 71, 75, 76, 79,
81, 85, 86, 89
3 (1) 97 (2) 47 (3) 84 (4) 56
4 (1) 5, 7 (2) 6, 8

1 만들 수 있는 몇십몇은 73, 78, 37, 38, 87,
83이고 이 중 72보다 큰 수는 73, 78, 87,
83입니다.

2
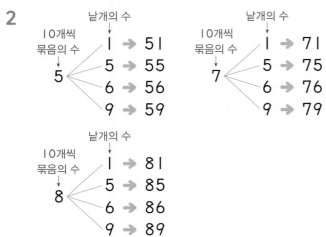

3 (3) 10개씩 묶음의 수와 낱개의 수에 큰 수부터
차례로 놓습니다. ➜ 84
(4) 10개씩 묶음의 수와 낱개의 수에 작은 수부
터 차례로 놓습니다. ➜ 56

4 수 카드를 빈 곳에 놓을 수 있는 모든 경우를 생
각해 봅니다.
(1) 7 5 < 5 9 (×)
5 7 < 5 9 (○)
(2) 8 7 < 6 1 (×)
6 7 < 8 1 (○)

4일 개념·원리 길잡이   26쪽~27쪽

활동 문제 26쪽

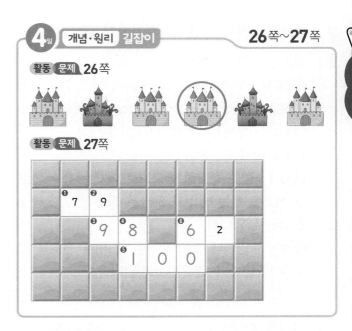

활동 문제 27쪽

활동 문제 26쪽

낱개의 수가 1, 3, 5, 7, 9인 수를 따라갑니다.

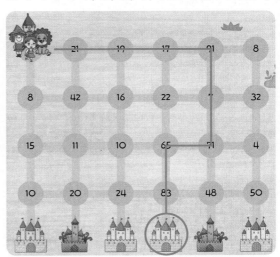

4일 서술형 길잡이 독해력 길잡이   28쪽~29쪽

1-1 57, 59
1-2 (1) 68, 69, 70, 71, 72, 73, 74
(2) 70, 71, 72, 73, 74
1-3 (1) 52, 53, 54, 55, 56, 57, 58, 59,
60, 61, 62
(2) 52, 61
2-1 16일   **2**-2 은수, 여진

1-1 56보다 크고 61보다 작은 수는 57, 58, 59,
60이고 이 중 홀수는 57, 59입니다.

2-1 낱개의 수가 1, 3, 5, 7, 9인 날을 세어 봅니다.

2-2 구하려는 것 오늘 청소를 하는 친구의 이름

주어진 조건 어제 청소한 친구의 번호(11번), 모둠 친구들의 번호

해결 전략 ❶ 어제는 어떤 번호가 청소하는 날인지 알아보기

❷ 오늘은 어떤 번호가 청소하는 날인지 알아보기

❸ 오늘 청소를 하는 친구 찾기

어제 11번이 청소를 했으므로 어제는 홀수 번호가 청소를 하는 날이고 오늘은 짝수 번호가 청소를 하는 날입니다.

따라서 수영이네 모둠 친구들 중 짝수 번호를 찾으면 14번 은수, 22번 여진입니다.

4일 **사고력·코딩** 30쪽~31쪽

1 7, 9, 11, 13 ; 8, 10, 12

2 ㉠, ㉢

3

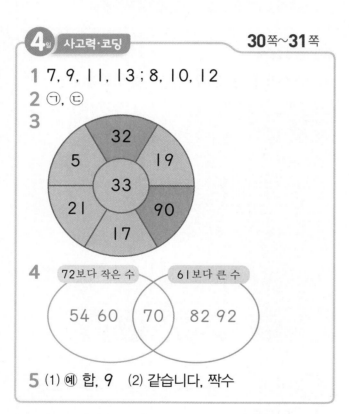

4

72보다 작은 수 | 61보다 큰 수
54 60 (70) 82 92

5 (1) 예 합, 9　(2) 같습니다, 짝수

---

2 ㉠ 65(홀수)　㉡ 28　㉢ 99(홀수)　㉣ 52

3 둘씩 짝 지을 수 있는 수를 짝수, 둘씩 짝 지을 수 없는 수를 홀수라고 합니다.

4 61보다 크고 72보다 작은 수 70은 두 부분이 겹치는 곳에 써넣었습니다.

5 (1) • 10개씩 묶음의 수와 낱개의 수의 합이 9 또는 홀수인 수입니다.

　　• 10개씩 묶음의 수와 낱개의 수의 차가 홀수인 수입니다.

5일 **개념·원리 길잡이** 32쪽~33쪽

활동 문제 32쪽

❶ (왼쪽에서부터) 39, 58

❷ (왼쪽에서부터) 62, 24

활동 문제 33쪽

❶ 13, 46, 80　❷ 50, 36, 53

활동 문제 32쪽

❶ 50+8=58, 31+8=39

❷ 27-3=24, 65-3=62

활동 문제 33쪽

❶ 10+3=13, 6+40=46, 50+30=80

❷ 10+40=50, 6+30=36, 50+3=53

5일 **서술형 길잡이** **독해력 길잡이** 34쪽~35쪽

1-1 ㉠

1-2 (1) (위에서부터) ㉡, ㉢, ㉠ ; 44, 54, 24

　　(2) ㉢

2-1 (위에서부터) 50, 80

2-2 (위에서부터) 20, 10 ; 10

2-3 37, 31

1-1 20+3=23 ➡ ㉡, 36+3=39 ➡ ㉠

23<39로 ㉠이 더 큽니다.

1-2 (1) 가: 42+2=44 ➡ ㉡

　　나: 59-5=54 ➡ ㉢

　　다: 27-5=22, 22+2=24 ➡ ㉠

2-1 10+40=50, 30+50=80

2-2 구하려는 것 규칙에 따라 빈 곳에 알맞은 수 써넣기

주어진 조건 벽돌을 쌓는 규칙, 가장 윗줄의 수

해결 전략 ❶ 40과 20의 차를 구하여 두 수의 아래 칸에 쓰기

❷ 20과 30의 차를 구하여 두 수의 아래 칸에 쓰기

❸ 아래 칸에 쓴 수끼리 차를 구하여 그 아래 칸에 쓰기

40-20=20, 30-20=10,

20-10=10

2-3 34+3=37, 34-3=31

5일 사고력·코딩　　　　　**36**쪽~**37**쪽

1 (위에서부터) 10 ; 80, 70

2 (위에서부터) 67, 56

3 (왼쪽에서부터) 39, 80, 66

4 (왼쪽에서부터) 20, 19, 31

1　20+60=80, 75-5=70, 80-70=10

2　♥는 덧셈으로 계산하고, ♠는 뺄셈으로 계산하는 규칙입니다.
64♥3=64+3=67, 59♠3=59-3=56

3
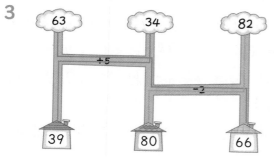

63+5=68, 68-2=66 ;
34+5=39 ; 82-2=80

4　윗 칸의 수는 아랫 칸의 두 수의 합과 같고, 아랫 칸의 한 수는 윗 칸의 수에서 아랫 칸의 다른 한 수를 뺀 값입니다.
70-50=20, 7+12=19, 39-8=31

1주 특강　창의·융합·코딩　　　**38**쪽~**43**쪽

1

2
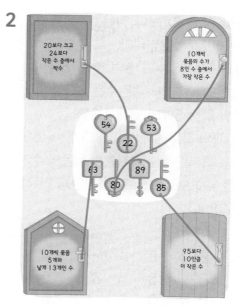

3　63, 64, 65, 66, 67, 68, 69, 70

4　❶ 52원　❷ 65원

5　❶ 12 ; ○　❷ 9 ; ✕

6　28, 25, 20, 82, 85, 80, 52, 58, 50

7　❶ 15개　❷ 19개　❸ 30개

8　❶ 15　❷ 85　❸ 37　❹ 97

9　❶ 6, 7, 8, 9에 ○표
　　❷ 6, 7, 8, 9에 ○표　❸ 8, 9에 ○표

10

1　77부터 수를 순서대로 세면 77, 78, 79, 80, 81……이므로 77쪽 다음에는 78쪽, 79쪽, 80쪽, 81쪽이 이어집니다.

2 • 20보다 크고 24보다 작은 수 21, 22, 23 중에서 짝수는 22입니다.

• 10개씩 묶음의 수가 8인 수는 80, 81 …… 89이고 이 중 가장 작은 수는 80입니다.

• 10개씩 묶음 5개와 낱개 13개
  ➡ 10개씩 묶음 6개와 낱개 3개 ➡ 63

• 10만큼 더 작은 수는 10개씩 묶음의 수가 1개 더 적은 수이므로 95보다 10만큼 더 작은 수는 85입니다.

6

10개씩 묶음의 수   낱개의 수
2 ─┬ 8 ➡ 28
   ├ 5 ➡ 25
   └ 0 ➡ 20

10개씩 묶음의 수   낱개의 수
8 ─┬ 2 ➡ 82
   ├ 5 ➡ 85
   └ 0 ➡ 80

10개씩 묶음의 수   낱개의 수
5 ─┬ 2 ➡ 52
   ├ 8 ➡ 58
   └ 0 ➡ 50

7 ❶ 딸기 샌드위치는 12개, 딸기 케이크는 3개이므로 딸기가 들어간 샌드위치와 케이크는 모두 12+3=15(개)입니다.

❷ 딸기 샌드위치 12개, 치즈 샌드위치 7개가 있으므로 모두 12+7=19(개)입니다.

❸ 딸기 우유가 20개, 흰 우유가 10개 있으므로 모두 20+10=30(개)입니다.

8 파란색 상자는 만들 수 있는 가장 작은 몇십몇이 나오고, 분홍색 상자는 만들 수 있는 가장 큰 몇십몇이 나옵니다.

9 □ 안에 0부터 9까지의 수를 차례로 넣어 보며 확인해 봅니다.

10

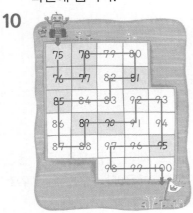

---

1 74원
2 89, 90, 91, 92
3 55살
4 5개
5 56, 57, 65, 67, 75, 76
6 97, 27
7 13, 15, 31, 41, 57 ; 10, 26, 40, 52, 64
8 (왼쪽에서부터) 50, 30

1 10원짜리 동전의 수가 7개, 1원짜리 동전의 수가 4개이므로 모두 74원입니다.

2 88부터 수를 순서대로 세면 89, 90, 91, 92입니다.

3 65보다 10만큼 더 작은 수는 55이므로 할머니의 나이는 55살입니다.

4 ㉠은 59이고, ㉡은 65입니다.
59와 65 사이에 있는 수는 60, 61, 62, 63, 64로 모두 5개입니다.

5

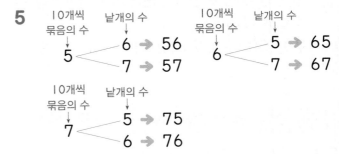

6 • 만들 수 있는 가장 큰 수: 10개씩 묶음의 수와 낱개의 수에 큰 수부터 차례로 놓습니다.
  ➡ 97

• 만들 수 있는 가장 작은 수: 10개씩 묶음의 수와 낱개의 수에 작은 수부터 차례로 놓습니다.
  ➡ 27

7 낱개의 수가 1, 3, 5, 7, 9이면 홀수 주머니에, 낱개의 수가 2, 4, 6, 8, 0이면 짝수 주머니에 써넣습니다.

8 70-20=50, 50-20=30

2주

2주에는 무엇을 공부할까? ❷　48쪽~49쪽

1-1 87, 23　　　1-2 95, 53

2-1　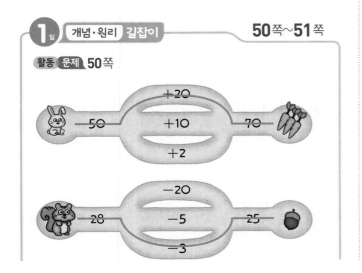

2-2

3-1 ⬤에 ○표　　3-2 △에 ○표

4-1 ▢에 ○표　　4-2 ⬤에 ○표

5-1 △에 ○표　　5-2 △에 ○표

1-1 합:　 3 2　　　차:　 5 5
　　　　 + 5 5　　　　　 − 3 2
　　　　 ‾‾‾‾‾　　　　　 ‾‾‾‾‾
　　　　　 8 7　　　　　　 2 3

1-2 합:　 7 4　　　차:　 7 4
　　　　 + 2 1　　　　　 − 2 1
　　　　 ‾‾‾‾‾　　　　　 ‾‾‾‾‾
　　　　　 9 5　　　　　　 5 3

5-1 ▢ 모양 1개, △ 모양 3개, ⬤ 모양 2개를
　　 이용했습니다.

5-2 ▢ 모양 4개, △ 모양 3개, ⬤ 모양 5개를
　　 이용했습니다.

1일　개념·원리 길잡이　50쪽~51쪽

활동 문제 **50**쪽

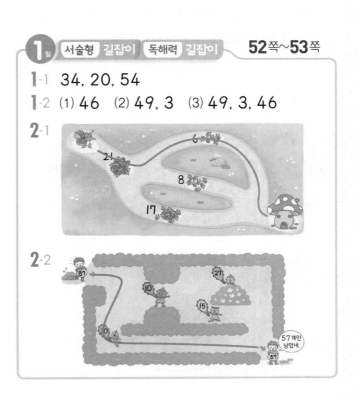

활동 문제 **51**쪽

활동 문제 **50**쪽

· 50+20=70, 50+10=60, 50+2=52이
　므로 +20이 있는 길을 따라가야 합니다.
· 28−20=8, 28−5=23, 28−3=25이므로
　−3이 있는 길을 따라가야 합니다.

활동 문제 **51**쪽

· 7과 47의 낱개의 수는 같고, 10개씩 묶음의 수가
　4만큼 커졌으므로 7에 40을 더해야 47이 됩니다.
· 37에서 15가 되려면 10개씩 묶음의 수와 낱개의
　수가 각각 2만큼씩 작아져야 하므로 37에서 22를
　빼야 15가 됩니다.

1일　서술형 길잡이　독해력 길잡이　52쪽~53쪽

1-1 34, 20, 54

1-2 ⑴ 46　⑵ 49, 3　⑶ 49, 3, 46

2-1

2-2

1-1 14와 더해서 54가 되는 수는 40, 34와 더해서 54가 되는 수는 20, 32와 더해서 54가 되는 수는 22이므로 만들 수 있는 덧셈식은 34+20=54입니다.

1-2 (1) 초록색 주머니는 46 뿐입니다.

(2) 분홍색 주머니의 수와 파란색 주머니의 수의 차를 각각 계산해 봅니다.

47−3=44, 47−5=42, 47−4=43,
48−3=45, 48−5=43, 48−4=44,
49−3=46, 49−5=44, 49−4=45

2-1 다람쥐가 처음 도토리 21개를 줍고, 6개를 더 주우면 27개가 됩니다.

따라서 다람쥐는 도토리가 21개, 6개 있는 길을 지나왔습니다.

2-2 구하려는 것 은호가 지나온 길

주어진 조건 은호가 가지고 있던 금화와 남은 금화의 수, 도깨비들의 방망이에 적힌 수

해결 전략 ❶ 처음 가지고 있던 금화의 수 알아보기

❷ 몇 개를 빼앗기면 57개가 되는지 구하기

❸ 어느 길을 지나가야 하는지 알아보기

은호는 금화가 87개 있었는데 57개가 됐으므로 30개를 빼앗겼습니다.

따라서 은호는 30이 적힌 방망이를 들고 있는 도깨비가 있는 길을 지나왔습니다.

1월 사고력·코딩 54쪽~55쪽

1

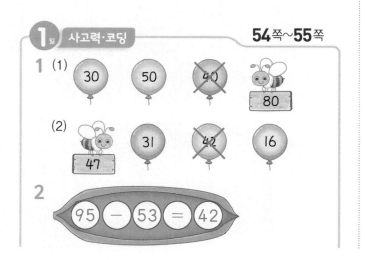

3

22	−	11	=	11
+	56	−	15	=
30	+	21	=	35
−	10	=	20	=

4

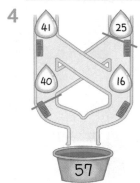

41 25
40 16
57

1 (1) 30+50=80

(2) 31+16=47

2 ☐=가 있는 곳까지 지나갈 수 있는 길을 모두 생각해 봅니다.

88−53=35, 88−35=53,
95−53=42, 95−35=60

3 조각을 옮겨 가며 올바른 계산식이 되는 곳을 찾습니다.

4 물이 넘치지 않게 가득 받으려면 41과 16인 물을 받아야 합니다. 따라서 25와 40의 물이 내려오는 파이프의 마개를 닫아야 합니다.

2월 개념·원리 길잡이 56쪽~57쪽

활동 문제 56쪽

❶
```
   5 3          5 1
 +   1   또는  +   3
 ─────        ─────
   5 4          5 4
```

❷
```
   1 3          1 5
 +   5   또는  +   3
 ─────        ─────
   1 8          1 8
```

❸
```
   5 3
 −   1
 ─────
   5 2
```

❹ 87+2=89 또는 82+7=89

활동 문제 57쪽

❶
```
   5 3          5 1        4 3        4 1
 + 4 1   또는  + 4 3      + 5 1      + 5 3
 ─────        ─────      ─────      ─────
   9 4          9 4  ,      9 4  ,     9 4
```

❷
```
   1 4          1 5        3 4        3 5
 + 3 5   또는  + 3 4      + 1 5      + 1 4
 ─────        ─────      ─────      ─────
   4 9          4 9  ,      4 9  ,     4 9
```

❸
```
   5 4
 − 1 3
 ─────
   4 1
```

2일 서술형 길잡이 독해력 길잡이   58쪽~59쪽

1-1 42, 36, 78 또는 36, 42, 78

1-2 (1) 작은에 ○표, 작은에 ○표
 (2) 4, 15, 19 또는 15, 4, 19

1-3 64, 21, 64, 21, 43

2-1 62   2-2 28   2-3 60

1-1 가장 큰 수와 두 번째로 큰 수의 합을 구하는 덧
셈식을 만듭니다.
 ➡ 42＋36＝78 또는 36＋42＝78

2-1 만들 수 있는 가장 큰 몇십몇은 87이고, 가장 작
은 몇십몇은 25입니다.
 ➡ 87−25＝62

2-2 **구하려는 것** 만들 수 있는 가장 작은 몇십몇과 두 번째로 작은
몇십몇의 합
 주어진 조건 수 카드 4장
 해결 전략 ❶ 주어진 수 카드로 가장 작은 몇십몇 만들기
 ❷ 주어진 수 카드로 두 번째로 작은 몇십몇 만들기
 ❸ 만든 몇십몇의 합 구하기

만들 수 있는 가장 작은 몇십몇은 13이고, 두 번
째로 작은 몇십몇은 15입니다.
 ➡ 13＋15＝28

2-3 만들 수 있는 가장 작은 몇십은 20이고, 두 번째
로 작은 몇십은 40입니다.
 ➡ 20＋40＝60

2일 사고력·코딩   60쪽~61쪽

1 (1) (위에서부터) 32, 22 ; 53, 10
 (2) 32, 22, 10

2 (1) ｜2｜5｜3｜, 55   (2) ｜7｜2｜1｜, 73

3 93

4
```
 [5][2] (+) [3][1] = 83
```
또는 51＋32＝83, 32＋51＝83,
31＋52＝83

---

1 (1) 85−32＝53, 32−22＝10
 (2) 이웃한 두 수의 차 11, 53, 10 중에서 10
이 가장 작습니다.
 ➡ 32−22＝10

2 자를 수 있는 두 가지 경우를 모두 생각해 봅니다.
 (1) ｜2｜5｜3｜ ➡ 2＋53＝55
   ｜2｜5｜3｜ ➡ 25＋3＝28
 (2) ｜7｜2｜1｜ ➡ 72＋1＝73
   ｜7｜2｜1｜ ➡ 7＋21＝28

 다른 풀이
 앞에 있는 두 수 중 더 큰 수가 몇십몇의 10개씩
 묶음의 수가 되도록 자르는 곳을 표시합니다.
 (1) 2＜5이므로 5가 10개씩 묶음의 수가 되도
 록 자릅니다.
 (2) 7＞2이므로 7이 10개씩 묶음의 수가 되도
 록 자릅니다.

3 색종이를 돌리거나 그대로 옮겨 올렸을 때 가운
데에 있는 11은 항상 보이고, 보이는 다른 한 수
는 31, 50, 82, 20 중 하나입니다.
이 중 합이 가장 클 때는 11과 82가 보일 때이
므로 두 수의 합은 11＋82＝93입니다.

4 계산 결과가 가장 크게 되려면 덧셈식을 만들어
야 하고, 보석 상자의 빈 자리를 보면
(몇십몇)＋(몇십몇)의 식이 만들어짐을 알 수 있습
니다.

가장 큰 수와 두 번째로 큰 수가 각각 10개씩 묶음의 수가 되고, 세 번째로 큰 수와 네 번째로 큰 수가 각각 낱개의 수가 되는 식을 만들면 합이 가장 큽니다.

3일 개념·원리 길잡이   **62**쪽~**63**쪽

활동 문제 **62**쪽

❶ 5   ❷ 4   ❸ 1   ❹ 3

활동 문제 **63**쪽

❶ 41   ❷ 32   ❸ 32   ❹ 40

활동 문제 **62**쪽

❶ 1+●=6에서 1+5=6이므로 벌레가 먹은 곳에 알맞은 수는 5입니다.

❷ 6-●=2에서 6-4=2이므로 벌레가 먹은 곳에 알맞은 수는 4입니다.

❸ 7-●=6에서 7-1=6이므로 벌레가 먹은 곳에 알맞은 수는 1입니다.

❹ 4+●=7에서 4+3=7이므로 벌레가 먹은 곳에 알맞은 수는 3입니다.

활동 문제 **63**쪽

10개씩 묶음의 수끼리, 낱개의 수끼리 계산하여 달팽이가 먹은 곳에 알맞은 10개씩 묶음의 수, 낱개의 수를 차례로 구합니다.

3일 서술형 길잡이   독해력 길잡이   **64**쪽~**65**쪽

1-1 3, 7   1-2 (1) 6 (2) 7
1-3 5, 0, 6   2-1 12개
2-2 11개   2-3 18명

1-1
$$\begin{array}{r} 4\ 1 \\ +\ \textcircled{\scriptsize ㄱ}\ 6 \\ \hline 7\ \textcircled{\scriptsize ㄴ} \end{array}$$

・10개씩 묶음의 수끼리 계산하면 4+㉠=7에서 4+3=7이므로 ㉠=3입니다.

・낱개의 수끼리 계산하면 1+6=㉡이므로 ㉡=7입니다.

1-2 (1) 3+❀=9에서 3+6=9이므로 ❀=6입니다.

(2) 5+2=★이므로 ★=7입니다.

2-1 가져간 우유의 수를 가려진 수로 하여 식을 만들어 봅니다.

$$\begin{array}{r} 2\ 3 \\ -\ \textcircled{\scriptsize ㄱ}\textcircled{\scriptsize ㄴ} \\ \hline 1\ 1 \end{array}$$ ➡ 2-㉠=1, 2-1=1이므로 ㉠=1입니다.
3-㉡=1, 3-2=1이므로 ㉡=2입니다.

따라서 가려진 수는 12이므로 학생들이 가져간 우유는 12개입니다.

2-2 구하려는 것 동생이 딴 사과의 수

주어진 조건 연정이가 딴 사과의 수, 연정이와 동생이 딴 사과의 수의 합

해결 전략 ❶ 모르는 수가 있는 식 만들기
❷ 10개씩 묶음의 수끼리, 낱개의 수끼리 계산하여 모르는 수 구하기

동생이 딴 사과의 수에서 낱개의 수가 가려진 식을 만들어 봅니다.

$$\begin{array}{r} 1\ 7 \\ +\ 1\ \square \\ \hline 2\ 8 \end{array}$$ ➡ 7+▨=8에서 7+1=8이므로 ▨=1입니다.

따라서 동생이 딴 사과는 11개입니다.

2-3 교실로 들어간 학생 수를 가려진 수로 하여 식을 만들어 봅니다.

$$\begin{array}{r} 2\ 8 \\ -\ \textcircled{\scriptsize ㄱ}\textcircled{\scriptsize ㄴ} \\ \hline 1\ 0 \end{array}$$ ➡ 2-㉠=1, 2-1=1이므로 ㉠=1입니다.
8-㉡=0, 8-8=0이므로 ㉡=8입니다.

따라서 가려진 수는 18이고 교실로 들어간 학생은 18명입니다.

3일 사고력·코딩   **66**쪽~**67**쪽

1 (1)  (2)

2 63개   3 (1) 6, 6 (2) 7, 0

4 예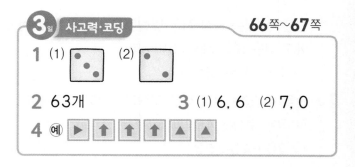

1 (1)
$$
\begin{array}{r}
1\ 3 \\
+\ \square\ 3 \\
\hline
4\ 6
\end{array}
$$
➡ 1+□=4에서 1+3=4이므로 □=3입니다. ➡ 빈 곳에 주사위 눈 3개를 그립니다.

(2)
$$
\begin{array}{r}
4\ 5 \\
-\ 1\ \square \\
\hline
3\ 3
\end{array}
$$
➡ 5−□=3에서 5−2=3이므로 □=2입니다. ➡ 빈 곳에 주사위 눈 2개를 그립니다.

2 처음 구슬의 수는 32개이고 상자에 있는 구슬까지 더하면 95개입니다.
$$
\begin{array}{r}
3\ 2 \\
+\ \bigcirc\ \bigcirc \\
\hline
9\ 5
\end{array}
$$
➡ 3+㉠=9, 3+6=9이므로 ㉠=6입니다.
2+㉡=5, 2+3=5이므로 ㉡=3입니다.
따라서 상자에 들어 있던 구슬은 63개입니다.

3 (1) 1+★=7에서 1+6=7이므로 ★=6입니다.
2+4=☀에서 2+4=6이므로 ☀=6입니다.
(2) 8−★=1에서 8−7=1이므로 ★=7입니다.
3−3=☀에서 3−3=0이므로 ☀=0입니다.

4 56>24에서 빨간색 접시에 추를 더 올려야 하므로 빨간색 접시 앞으로 이동합니다. ➡ ▶
24+32=56이므로 10이 적힌 추를 3개, 1이 적힌 추를 2개 올려야 합니다.
➡ ⬆ ⬆ ⬆ ▲ ▲
순서가 바뀌어도 정답입니다.

4일 개념·원리 길잡이 　68쪽~69쪽

활동 문제 68쪽

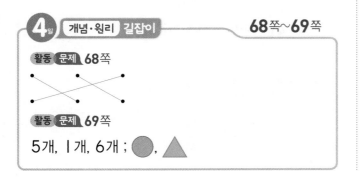

활동 문제 69쪽

5개, 1개, 6개 ; ⬤, ▲

4일 서술형 길잡이 독해력 길잡이 　70쪽~71쪽

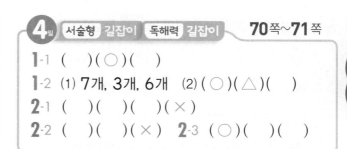

1-1 ( )(◯)( )
1-2 (1) 7개, 3개, 6개　(2) (◯)(△)( )
2-1 ( )( )( )(×)
2-2 ( )( )(×)　2-3 (◯)( )( )

1-1 ▢ 모양: 3개, ▲ 모양: 5개, ⬤ 모양: 4개

2-1 동전, 두루마리 휴지, 물컵을 종이 위에 대고 그리면 ⬤ 모양이 나오고, 지우개를 종이 위에 대고 그리면 ▢ 모양이 나옵니다.

2-2 구하려는 것 피라미드 모형으로 찍었을 때 나올 수 없는 모양
주어진 조건 피라미드 모형으로 찍기 놀이를 함
피라미드 모형에서는 두가지 모양을 찾을 수 있음
해결 전략 ❶ 피라미드 모형을 돌려 보면 어떤 모양들을 찾을 수 있을지 생각해 보기
❷ 찍을 수 없는 모양 알아보기
피라미드 모형으로는 ▢ 모양과 ▲ 모양을 찍을 수 있습니다.

2-3 롤러를 이용하여 위에서 아래로 곧게 칠하면 ▢ 모양이 그려집니다.

4일 사고력·코딩 　72쪽~73쪽

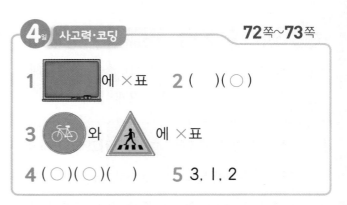

1 [칠판]에 ×표　2 ( )(◯)
3 [자전거]와 [횡단보도]에 ×표
4 (◯)(◯)( )　5 3, 1, 2

1 나침반, 동전, 주차금지 표지판, 단추는 모두 ⬤ 모양이고 칠판은 ▢ 모양입니다.

3 뾰족한 곳이 4군데인 모양은 ▢ 모양입니다.

4 잘라 낸 조각에서 찾을 수 있는 모양은 ▢ 모양과 ▲ 모양입니다.

5 처음 꾸민 고양이 얼굴에는 ■ 모양이 8개, ▲ 모양이 5개, ● 모양이 4개 있고, 며칠 뒤에는 ■ 모양이 5개, ▲ 모양이 4개, ● 모양이 2개 있습니다. 따라서 ■ 모양 3개, ▲ 모양 1개, ● 모양 2개가 떨어졌습니다.

5일 개념·원리 길잡이   **74**쪽~**75**쪽

활동 문제 **74**쪽

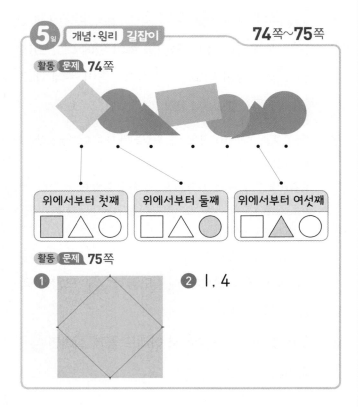

위에서부터 첫째	위에서부터 둘째	위에서부터 여섯째
▢ △ ○	▢ △ ○	▢ △ ○

활동 문제 **75**쪽

❶ 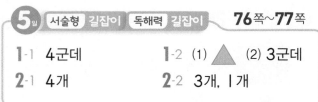   ❷ 1, 4

5일 서술형 길잡이 독해력 길잡이   **76**쪽~**77**쪽

1-1 4군데   1-2 (1) ▲   (2) 3군데
2-1 4개   2-2 3개, 1개

1-1 가장 위에 놓인 조각은 ▲ 모양이고 그 아래 놓인 조각은 ■ 모양입니다. 위에서부터 두 번째에 놓인 조각인 ■ 모양은 뾰족한 곳이 4군데입니다.

1-2 (1) ● 모양 조각을 기준으로 ▲ 모양 조각 1개와 ■ 모양 조각 1개가 ● 모양보다 위에 놓여 있고, ▲ 모양 조각 1개가 ● 모양보다 아래에 놓여 있습니다. 따라서 가장 아래에 놓인 조각은 ▲ 모양입니다.

(2) ▲ 모양은 뾰족한 곳이 3군데입니다.

2-1 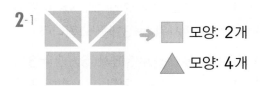 ■ 모양: 2개
                          ▲ 모양: 4개

따라서 뾰족한 곳이 3군데인 모양은 4개 만들어집니다.

2-2 구하려는것 만들어지는 모양 중 뾰족한 곳이 3군데인 모양과 뾰족한 곳이 4군데인 모양의 수
주어진조건 그림과 같이 접고 표시한 선을 따라 모두 자름
해결전략 ❶ 펼친 모양에 자른 선 그려 보기
❷ 표시한 선을 따라 자른 모양 알아보기
❸ 뾰족한 곳이 3군데인 모양과 뾰족한 곳이 4군데인 모양을 각각 찾기

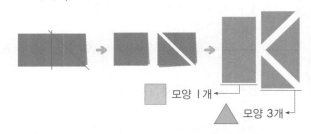

■ 모양 1개 ←
▲ 모양 3개 ←

5일 사고력·코딩   **78**쪽~**79**쪽

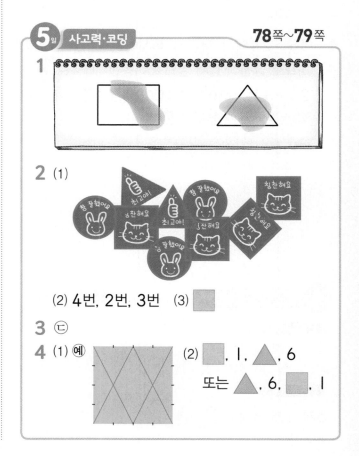

1

2 (1)

(2) 4번, 2번, 3번   (3) ■

3 ㉢

4 (1) 예   (2) ■, 1, ▲, 6
                  또는 ▲, 6, ■, 1

1 모양의 일부분을 보고 편평한 선과 뾰족한 곳이 각각 몇 군데였는지 생각해 보며 선을 그어 모양을 완성합니다.

3 ㉠은 △ 모양 안에 아무것도 없고

㉡은 ■ 모양 안에 △ 모양만 있습니다.

2주 특강 창의·융합·코딩 **80쪽~85쪽**

1

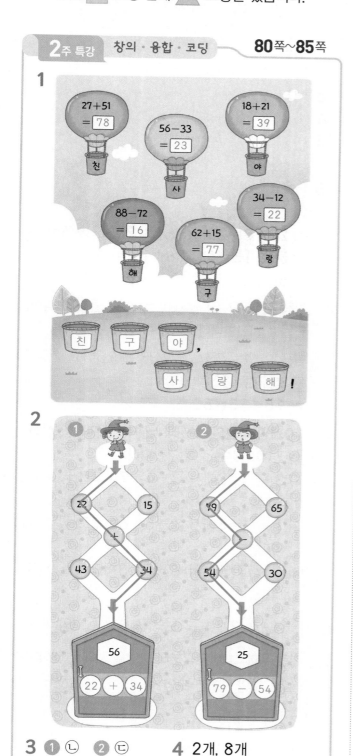

27+51 = 78 천
56−33 = 23 사
18+21 = 39 야
88−72 = 16 해
62+15 = 77 구
34−12 = 22 랑

친 구 야 , 사 랑 해 !

2

① 22 15 + 43 34 → 56 ; 22 + 34

② 79 65 − 54 30 → 25 ; 79 − 54

3 ❶ ㉡ ❷ ㉢   **4** 2개, 8개
5 40, 20, 60 ; 70, 10, 60

6
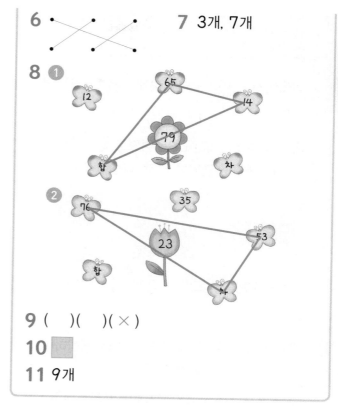
7 3개, 7개

8 ❶ 12 65 14 79 합 차

❷ 76 35 23 53 합 차

9 ( )( )(×)

10 ■

11 9개

1

27	56	18
+ 5 1	− 3 3	+ 2 1
7 8	2 3	3 9

88	62	34
− 7 2	+ 1 5	− 1 2
1 6	7 7	2 2

→ 78>77>39>23>22>16
친 구 야 사 랑 해

2 ❶ 길의 가운데에 있는 구슬이 ⊕이므로 합이 56이 되는 구슬을 찾고 그 구슬이 있는 길을 따라가면 문을 열 수 있습니다.

❷ 길의 가운데에 있는 구슬이 ⊖이므로 차가 25가 되는 구슬을 찾고 그 구슬이 있는 길을 따라가면 문을 열 수 있습니다.

3 빈 곳의 세로줄과 가로줄에 각각 어떤 모양의 물건들이 있는지 알아봅니다.

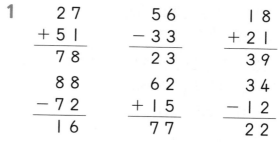

❶ 세로줄에 ● 모양과 ■ 모양이 있으므로 △ 모양인 ㉡이 들어가야 합니다.

❷ 세로줄에 ■ 모양과 △ 모양이 있으므로 ● 모양인 ㉢이 들어가야 합니다.

4

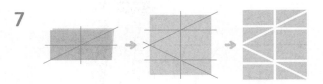

만들어지는 ⬜ 모양은 2개, 🔺 모양은 8개입니다.

5 초록색 주머니에는 60뿐이므로 합이 60인 경우와 차가 60인 경우를 각각 찾아봅니다.

7

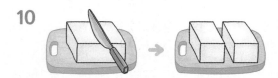

만들어지는 ⬜ 모양은 3개, 🔺 모양은 7개입니다.

8 나비에 있는 두 수의 합 또는 차를 계산하여 꽃에 있는 수가 되는 규칙입니다.

 ❶ 79는 12, 65, 14보다 크므로 합이 79가 되는 두 수를 찾아봅니다.
 → 65+14=79

 ❷ 23은 76, 35, 53보다 작으므로 차가 23이 되는 두 수를 찾아봅니다.
 → 76-53=23

10

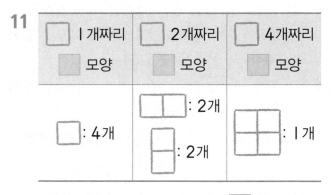

두부를 위와 같이 자르면 ⬜ 모양을 찾을 수 있습니다.

11

⬜ 1개짜리 ⬜ 모양	⬜ 2개짜리 ⬜ 모양	⬜ 4개짜리 ⬜ 모양
⬜ : 4개	▭ : 2개 ▯ : 2개	⊞ : 1개

따라서 찾을 수 있는 크고 작은 ⬜ 모양은 모두 9개입니다.

누구나 100점 TEST 86쪽~87쪽

1 (1)
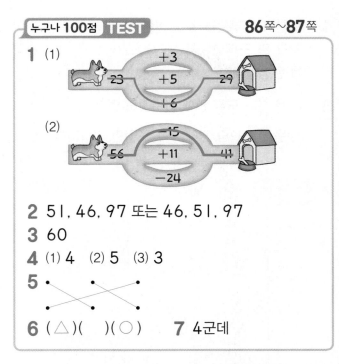

 (2)

2 51, 46, 97 또는 46, 51, 97
3 60
4 (1) 4 (2) 5 (3) 3
5 •

6 (△)(   )(○) **7** 4군데

1 (1) 23+3=26, 23+5=28, 23+6=29
 (2) 56-15=41, 56+11=67,
  56-24=32

2 가장 큰 수와 두 번째로 큰 수를 골라 덧셈식을 만들고 계산합니다.

3 만들 수 있는 가장 큰 몇십몇은 95이고, 가장 작은 몇십몇은 35입니다.
 → 95-35=60

4 10개씩 묶음의 수끼리, 낱개의 수끼리 계산하여 ☐ 안에 알맞은 수를 구합니다.
 (1) 3+☐=7에서 3+4=7이므로 ☐=4입니다.
 (2) 1+☐=6에서 1+5=6이므로 ☐=5입니다.
 (3) 6-☐=3에서 6-3=3이므로 ☐=3입니다.

6 ⬜ 모양: 3개, 🔺 모양: 4개, ⚫ 모양: 9개

7 가장 위에 놓인 조각부터 모양을 차례로 알아보면
 🔺 모양 - ⚫ 모양 - 🔺 모양 - ⚫ 모양 - ⬜ 모양입니다.

 따라서 가장 아래에 놓인 조각은 ⬜ 모양이므로 뾰족한 곳은 모두 4군데입니다.

3주

3주에는 무엇을 공부할까? ❷　　　　**90**쪽~**91**쪽

1-1 (왼쪽에서부터) (1) 3, 8, 8　(2) 3 ; 3, 8
1-2 (왼쪽에서부터) (1) 5, 9, 9　(2) 5 ; 5, 9
2-1 (왼쪽에서부터) (1) 5, 1, 1　(2) 5 ; 5, 1
2-2 (왼쪽에서부터) (1) 7, 2, 2　(2) 7 ; 7, 2
3-1 (1) 3　(2) 8
3-2 (1) 5, 30　(2) 6, 30
4-1 ○
4-2 ✕

1-1　2+1을 먼저 계산한 다음 계산하여 나온 수에 5를 더합니다.

1-2　1+4를 먼저 계산한 다음 계산하여 나온 수에 4를 더합니다.

2-1　8−3을 먼저 계산한 다음 계산하여 나온 수에서 4를 뺍니다.

2-2　9−2를 먼저 계산한 다음 계산하여 나온 수에서 5를 뺍니다.

3-1　(1) 짧은바늘이 3, 긴바늘이 12를 가리키므로 3시 입니다.
　　(2) : 앞의 수가 8이고, : 뒤의 수가 0이므로 8시 입니다.

〔참고〕
• 시계의 짧은바늘은 '시'를, 긴바늘은 '분'을 나타냅니다.
• 디지털시계에서 : 앞은 '시'를, : 뒤는 '분'을 나타냅니다.

3-2　(1) 짧은바늘이 5와 6 사이에 있고, 긴바늘이 6을 가리키므로 5시 30분입니다.
　　(2) : 앞의 수가 6이고, : 뒤의 수가 30이므로 6시 30분입니다.

4-1　짧은바늘이 7, 긴바늘이 12를 가리키므로 7시 이고 일곱 시라고 읽습니다.

4-2　짧은바늘이 11과 12 사이에 있고, 긴바늘이 6을 가리키므로 11시 30분이고 열한 시 삼십 분이 라고 읽습니다.

1일　개념·원리 길잡이　　　　**92**쪽~**93**쪽

활동 문제 **92**쪽
정희에 ○표

활동 문제 **93**쪽
(위에서부터) 5, 6 ; 7, 2

활동 문제 **92**쪽
근우: 7+3=10, 현철: 8+2=10,
지현: 1+9=10, 정희: 6+3=9,
주민: 6+4=10
➜ 10이 되는 덧셈식이 아닌 깃발을 들고 있는 친구 는 정희입니다.

활동 문제 **93**쪽
• 5와 더해서 10이 되는 수는 5입니다.
• 4와 더해서 10이 되는 수는 6입니다.
• 3과 더해서 10이 되는 수는 7입니다.
• 8과 더해서 10이 되는 수는 2입니다.

1일　서술형 길잡이　독해력 길잡이　　　　**94**쪽~**95**쪽

1-1　㉢
1-2　(1) 10, 9, 10　(2) ㉡
1-3　(1) 예

　　(2) 4
2-1　5개
2-2　3권
2-3　6

1-1　㉠ 3+6=9, ㉡ 7+1=8, ㉢ 5+5=10
　　➜ 10이 되는 덧셈식은 ㉢입니다.

1-2　(1) ㉠ 8+2=10, ㉡ 1+8=9,
　　　　㉢ 6+4=10
　　(2) 계산 결과가 10이 아닌 덧셈식은 ㉡입니다.

1-3 (1) $7+3=10$, $8+2=10$

(2) 남는 공의 수는 4입니다.

2-1 연서가 처음에 가지고 있던 구슬은 $4+1=5$(개) 입니다.

5와 더해서 10이 되는 수는 5입니다.

➡ $5+\boxed{5}=10$이므로 연서가 사 온 노란색 구슬 은 5개입니다.

2-2 〈구하려는 것〉 선물로 받은 과학책의 수

〈주어진 조건〉 호준이가 처음에 가지고 있던 책의 수, 과학책을 선물로 받은 후 총 책의 수

〈해결 전략〉 ❶ 처음에 가지고 있던 책은 모두 몇 권인지 구합 니다.

❷ 총 책의 수가 10권이 되려면 책이 몇 권 더 필요한지 구합 니다.

호준이가 처음에 가지고 있던 책은 $2+5=7$(권) 입니다.

7과 더해서 10이 되는 수는 3입니다.

➡ $7+\boxed{3}=10$이므로 호준이가 선물로 받은 과 학책은 3권입니다.

2-3 시원이가 고른 수 카드의 합은 $8+2=10$입니다.

4와 더해서 10이 되는 수는 6입니다.

➡ $4+\boxed{6}=10$이므로 준서의 빈 카드에 알맞은 수는 6입니다.

---

1 〈사고력·코딩〉 **96**쪽~**97**쪽

1 (1) 7, 10   (2) 6, 10

2 4개

3 사슴, 치타

4

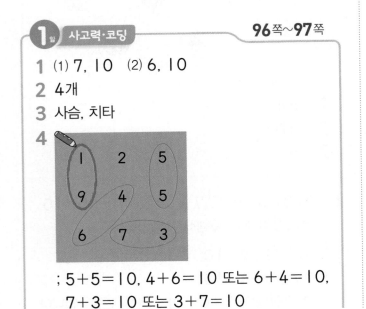

; $5+5=10$, $4+6=10$ 또는 $6+4=10$,
$7+3=10$ 또는 $3+7=10$

5

6+3	2+8	4+6	1+9	2+7
9+0	3+7	1+8	5+5	3+5
7+2	5+4	7+1	8+2	6+2
4+5	3+6	0+9	6+4	8+1

; 7

1 (1) 다람쥐 인형은 위 칸에 3개, 가운데 칸에 7개 있습니다. ➡ $3+7=10$(개)

(2) 토끼 인형은 위 칸에 4개, 아래 칸에 6개 있 습니다. ➡ $4+6=10$(개)

2 6과 더해서 10이 되는 수는 4입니다.

➡ $6+\boxed{4}=10$이므로 윤호는 손가락 4개를 펴 야 합니다.

3 2와 8을 더하면 10이므로 사슴이고 3과 7을 더하면 10이므로 치타입니다.

4 5와 5를 더하면 $5+5=10$입니다.

4와 6을 더하면 $4+6=10$ 또는 $6+4=10$ 입니다.

7과 3을 더하면 $7+3=10$ 또는 $3+7=10$ 입니다.

5 두 수의 합이 10이면 색칠하고, 합이 10이 아니 면 색칠하지 않는 규칙입니다.

두 수의 합이 10인 칸을 모두 찾아 색칠하면 숫 자 7이 보입니다.

---

2 〈개념·원리〉 길잡이 **98**쪽~**99**쪽

활동 문제 **98**쪽

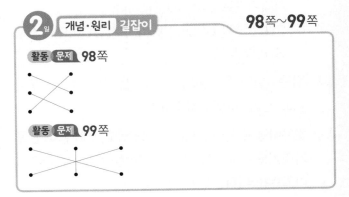

활동 문제 **99**쪽

활동 문제 98쪽

전체 10개에서 /로 표시한 수만큼 빼는 뺄셈식을 찾습니다.

다람쥐: 10−9=1, 토끼: 10−4=6,

고양이: 10−5=5

활동 문제 99쪽

남은 달걀의 수를 이용하여 달걀프라이 수를 구해 봅니다.

• 강아지: 10에서 7이 남으려면 3을 빼야 합니다.

➡ 10−③=7이므로 달걀프라이는 3개입니다.

• 곰: 10에서 8이 남으려면 2를 빼야 합니다.

➡ 10−②=8이므로 달걀프라이는 2개입니다.

• 개구리: 10에서 6이 남으려면 4를 빼야 합니다.

➡ 10−④=6이므로 달걀프라이는 4개입니다.

2일 서술형 길잡이 독해력 길잡이　　**100쪽~101쪽**

1-1 ㉠	1-2 (1) 5, 7　(2) ㉠
1-3 5, 7, 7, 5, 지아	
2-1 6개	2-2 5장
2-3 7개	

1-1 ㉠ 10−1=9, ㉡ 10−4=6

➡ 9가 6보다 크므로 ㉠이 더 큽니다.

1-2 (1) ㉠ 10−5=5, ㉡ 10−3=7

(2) 5가 7보다 작으므로 ㉠이 더 작습니다.

1-3 주원: 10−5=5(개), 지아: 10−3=7(개)

2-1 바구니에 들어 있는 과일은 7+3=10(개)입니다.

10에서 4가 남으려면 6을 빼야 합니다.

➡ 10−⑥=4이므로 먹은 과일은 6개입니다.

2-2 구하려는 것 사용한 색종이의 수

주어진 조건 상자에 들어 있는 빨간색 색종이와 파란색 색종이의 수, 남은 색종이의 수

해결 전략 ❶ 상자에 들어 있는 색종이는 모두 몇 장인지 구합니다.

❷ 5장이 남았다면 몇 장을 사용한 것인지 구합니다.

상자에 들어 있는 색종이는 8+2=10(장)입니다.

10에서 5가 남으려면 5를 빼야 합니다.

➡ 10−⑤=5이므로 사용한 색종이는 5장입니다.

2-3 놓여 있는 볼링 핀은 모두 4+6=10(개)입니다.

10에서 3이 남으려면 7을 빼야 합니다.

➡ 10−⑦=3이므로 다연이가 쓰러뜨린 볼링 핀은 7개입니다.

2일 사고력·코딩　　**102쪽~103쪽**

1 3개 ;

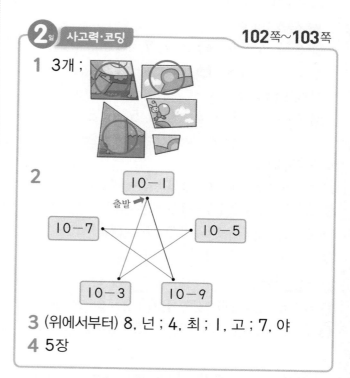

2

3 (위에서부터) 8, 년 ; 4, 최 ; 1, 고 ; 7, 야

4 5장

1 퍼즐에 맞춰 있는 조각이 7개이므로 더 필요한 조각은 10−7=3(개)입니다.

알맞은 조각 3개에 모두 ○표 합니다.

2

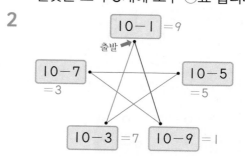

10−1, 10−3, 10−5, 10−7, 10−9의 순서대로 잇습니다.

3 10에서 빼기를 한 후에 차에 해당하는 글자를 찾아 씁니다.

4 (원재가 처음에 가지고 있던 색종이의 수)
$=5+5=10$(장)
(안나에게 주고 남은 색종이의 수)
$=10-3=7$(장)
원재가 종이배를 접은 색종이의 수를 □장이라
하면 $7-□=2$이고 $7-5=2$이므로 $□=5$입
니다.

3일 **개념·원리 길잡이** **104**쪽~**105**쪽

활동 문제 104쪽
❶ 6, 4, 4, 14 **❷** 3, 7, 7, 17
❸ 2, 8, 8, 18 **❹** 9, 1, 1, 11

활동 문제 105쪽
❶ 4, 2, 8 ; 2, 4, 4 **❷** 3, 5, 9 ; 5, 3, 5

활동 문제 104쪽
❶ $6⊙4=6+4+4=10+4=14$
❷ $3⊙7=3+7+7=10+7=17$
❸ $8▣2=2+8+8=10+8=18$
❹ $1▣9=9+1+1=10+1=11$

활동 문제 105쪽
❶ $6+4-2=10-2=8$, $6+2-4=8-4=4$
❷ $7-3+5=4+5=9$, $7-5+3=2+3=5$

3일 **서술형 길잡이** **독해력 길잡이** **106**쪽~**107**쪽

1-1 13 **1**-2 (1) 5, 5, 6 (2) 4
1-3 (1) 9, 8, 9 (2) 10
2-1 7, 1, 2, 4 또는 7, 2, 1, 4
2-2 예 2, 3, 4, 9 **2**-3 8, 2

1-1 $7◆3=3+7+3=10+3=13$
1-2 $5⊙6=5+5-6=10-6=4$
1-3 $9▣8=9-8+9=1+9=10$
2-1 계산 결과가 가장 크게 되려면 가장 큰 수에서 가
장 작은 수와 둘째로 작은 수를 빼야 합니다.
➡ $7-1-2=6-2=4$ 또는
$7-2-1=5-1=4$

2-2 구하려는 것 계산 결과가 가장 작은 식과 계산 결과
주어진 조건 수 카드 **2**, **3**, **4**, **5** 중에서 3장을 골라 한 번
씩만 사용, $□+□+□$
해결 전략 **❶** 계산 결과가 가장 작게 되려면 수 카드를 각
각 어느 위치에 놓아야 하는지 알아봅니다.
❷ 식을 계산 순서에 맞게 계산합니다.
계산 결과가 가장 작게 되려면 가장 큰 수를 제외
한 남은 수를 더하면 됩니다.
➡ $2+3+4=5+4=9$

2-3 계산 결과가 가장 크게 되려면 더하는 수에 가장
큰 수를, 빼는 수에 가장 작은 수를 넣습니다.
➡ $5+4-1=9-1=8$
계산 결과가 가장 작게 되려면 더하는 수에 가장
작은 수를, 빼는 수에 가장 큰 수를 넣습니다.
➡ $5+1-4=6-4=2$

3일 **사고력·코딩** **108**쪽~**109**쪽

1 (위에서부터) 10, 5
2 1 **3** 9
4 $6+3+1=8$
5 (1) 5 (2) 3

1 $6+4=10$, $10-5=5$
2 $4♥6=6-4+6=2+6=8$,
$3♥5=5-3+5=2+5=7$
➡ $8-7=1$
3 계산 결과가 가장 크게 되려면 가장 작은 수를 제
외한 남은 수를 더하면 됩니다.
➡ $2+3+4=5+4=9$
4 계산 결과가 6보다 크므로 6에서 3과 1을 모두
뺀 것은 아닙니다.
$6+3+1=9+1=10$ (×)
$6+3-1=9-1=8$ (○)
$6-3+1=3+1=4$ (×)
따라서 3 앞에는 $+$, 1 앞에는 $-$가 되도록 색칠
합니다.

5 (1) 7◆1=7−1−1=6−1=5

(2) 가는 1회에 출력한 값이므로 5이고, 나는 처음과 같은 값이므로 1입니다.

➡ 5◆1=5−1−1=4−1=3

4일 [개념·원리] **길잡이**　　　　　　**110**쪽~**111**쪽

[활동] [문제] **110**쪽

(○) (×)

(×) (○)

[활동] [문제] **111**쪽

❶ 청소하기　❷ 숙제하기

[활동] [문제] **110**쪽

책 읽기: 9시 30분이므로 계획표대로 했습니다.

점심 먹기: 12시 30분이므로 계획표대로 하지 않았습니다.

운동하기: 3시이므로 계획표대로 했습니다.

그림 그리기: 6시이므로 계획표대로 하지 않았습니다.

[활동] [문제] **111**쪽

❶ 청소하기: 9시 30분, 피아노 치기: 11시

➡ 10시보다 빠른 시각은 9시 30분이므로 10시 이전에 한 일은 청소하기입니다.

❷ 축구하기: 3시 30분, 숙제하기: 7시

➡ 5시보다 늦은 시각은 7시이므로 5시 이후에 한 일은 숙제하기입니다.

4일 [서술형] **길잡이** [독해력] **길잡이**　　**112**쪽~**113**쪽

1-1  ; 13

1-2 (1) 　　　(2) 17

1-3 10, 10, 12, 10, 12, 22

2-1 민지　　　　　**2**-2 근우

2-3 ㉢

1-1 한 시는 짧은바늘이 1, 긴바늘이 12를 가리킵니다.

➡ 두 시곗바늘이 가리키는 숫자의 합은 1+12=13입니다.

1-2 (1) 다섯 시는 짧은바늘이 5, 긴바늘이 12를 가리킵니다.

(2) 두 시곗바늘이 가리키는 숫자의 합은 5+12=17입니다.

2-1 미라는 7시, 윤호는 6시 30분, 민지는 7시 30분에 일어났습니다.

➡ 가장 늦은 시각은 7시 30분이므로 가장 늦게 일어난 사람은 민지입니다.

2-2 [구하려는 것] 가장 먼저 점심 식사를 시작한 사람

[주어진 조건] 가은, 근우, 상혁이가 점심 식사를 시작한 시각

[해결 전략] ❶ 가은, 근우, 상혁이가 점심 식사를 시작한 시각을 알아봅니다.

❷ 가장 빠른 시각을 알아봅니다.

가은이는 1시, 근우는 12시 30분, 상혁이는 1시 30분에 점심 식사를 시작했습니다.

➡ 가장 빠른 시각은 12시 30분이므로 가장 먼저 점심 식사를 시작한 사람은 근우입니다.

2-3 ㉠ 8시, ㉡ 8시 30분, ㉢ 9시 30분

➡ 9시 30분은 9시를 지난 시각이므로 책을 읽는 동안 볼 수 없습니다.

4일 [사고력·코딩]　　　　　　**114**쪽~**115**쪽

1 　 ; 4

운동회 시작 시각　　　운동회 끝난 시각

2 (1) 1　(2) 5시 30분

3 9시　　　　　　　**4** 4, 2, 3, 1

1 9시와 3시 30분을 시계에 각각 나타냅니다.

집에 돌아온 시각은 4시입니다.

2 (1)

자카르타	베이징	서울	시드니
2시 30분	3시 30분	4시 30분	■시 30분

ㅣ 큰 수   ㅣ 큰 수   ㅣ 큰 수

(2) 4시 30분보다 ㅣ시간 늦은 시각은 5시 30분 입니다.

3 각 시계의 짧은바늘이 가리키는 숫자는
5 − 6 − 3 − 8 − 9로 바뀝니다.
   +ㅣ −3 +5 +ㅣ

화살표의 규칙에 따라 시계에 시각을 나타내면 다음과 같습니다.

따라서 마지막 시계는 짧은바늘이 9, 긴바늘이 ㅣ2를 가리키므로 9시를 나타냅니다.

4 저녁 식사: 6시, 음악 감상: 4시 30분,
공부하기: 5시, 운동하기: 3시

➡ 3시 → 4시 30분 → 5시 → 6시이므로 먼 저 한 일부터 순서대로 운동하기, 음악 감상, 공부하기, 저녁 식사입니다.

5일 〔개념·원리〕 **길잡이**　**116**쪽~**117**쪽

〔활동〕〔문제〕**116**쪽
❶ 3　❷ 5　❸ 8　❹ 9

〔활동〕〔문제〕**117**쪽
❶ ㉠, ㉢, ㉥, ㉦
❷ ㉡, ㉣, ㉤, ㉧
❸ ㉣, ㉥, ㉤

〔활동〕〔문제〕**116**쪽
❶ 2시에서 ㅣ시간이 지나면 3시입니다.
❷ 4시 30분에서 ㅣ시간이 지나면 5시 30분입니다.
❸ 6시에서 2시간이 지나면 8시입니다.
❹ 7시 30분에서 2시간이 지나면 9시 30분입니다.

---

❶ 긴바늘이 ㅣ2를 가리키는 시각은 몇 시입니다.
❷ 긴바늘이 6을 가리키는 시각은 몇 시 30분입니다.
❸ 2시와 4시 사이의 시각은 2시를 지나고 4시를 지나지 않은 시각입니다.

5일 〔서술형〕 **길잡이** 〔독해력〕 **길잡이**　**118**쪽~**119**쪽

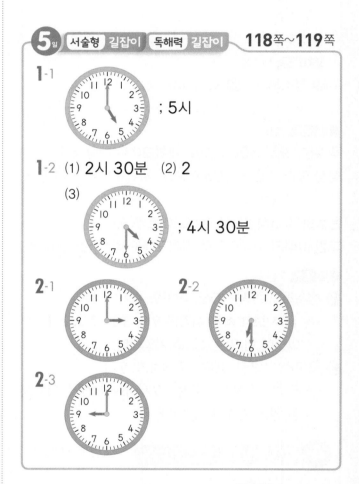

1-1 ; 5시

1-2 (1) 2시 30분　(2) 2
　　(3) ; 4시 30분

2-1　2-2

2-3

1-1 짧은바늘이 4, 긴바늘이 ㅣ2를 가리키므로 혜민 이가 책을 읽기 시작한 시각은 4시입니다.
　➡ 4시에서 ㅣ시간이 지난 시각은 5시입니다.

1-2 (1) 짧은바늘이 2와 3 사이에 있고, 긴바늘이 6을 가리키므로 2시 30분입니다.
　　(3) 2시 30분에서 2시간이 지난 시각은 4시 30분입니다.

2-1 긴바늘이 ㅣ2를 가리키면 '몇 시'이고, ㅣ시를 지나 고 4시를 지나지 않은 시각 중 몇 시는 2시, 3시 입니다.
　이 중에서 2시 30분보다 늦은 시각은 3시입니다.

2-2 구하려는 것 설명이 나타내는 시각을 시계에 나타내기

주어진 조건 긴바늘이 6을 가리킴. 5시와 7시 사이의 시각, 6시보다 늦은 시각

해결 전략 ❶ 긴바늘이 6을 가리키는 시각 중 5시와 7시 사이의 시각을 구합니다.

❷ ❶에서 구한 시각 중 6시보다 늦은 시각을 구합니다.

긴바늘이 6을 가리키면 '몇 시 30분'이고, 5시를 지나고 7시를 지나지 않은 시각 중 몇 시 30분은 5시 30분, 6시 30분입니다.

이 중에서 6시보다 늦은 시각은 6시 30분입니다.

2-3 긴바늘이 12를 가리키면 '몇 시'이고, 8시를 지나고 11시를 지나지 않은 시각 중 몇 시는 9시, 10시입니다.

이 중에서 9시 30분보다 빠른 시각은 9시입니다.

5월 사고력·코딩   **120쪽~121쪽**

1 8, 11, 11

2 (1) 예 [줄은 선 시각]   [놀이 기구를 탄 시각]

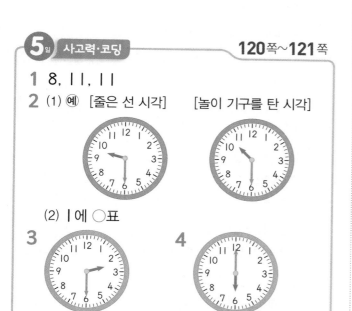

(2) 1에 ○표

3   **4**

5 5번

---

1 긴바늘이 3바퀴 돌면 짧은바늘은 숫자 눈금 3칸을 움직이므로 8에서 3칸을 움직이면 11입니다.

2 (1) [줄을 선 시각]

짧은바늘이 9와 10 사이에 있고, 긴바늘이 6을 가리키므로 9시 30분입니다.

[놀이 기구를 탄 시각]

짧은바늘이 10과 11 사이에 있고, 긴바늘이 6을 가리키므로 10시 30분입니다.

---

(2) 형민이는 9시 30분에 줄을 서서 기다리다가 10시 30분에 놀이 기구를 탔습니다.

→ 9시 30분부터 10시 30분까지 1시간 지났으므로 긴바늘이 시계를 1바퀴 돌았습니다.

3 12시에서 긴바늘이 2바퀴 돌면 짧은바늘은 숫자 눈금 2칸을 움직이므로 2시가 됩니다.

2시에서 긴바늘이 반 바퀴 돌면 긴바늘은 6을 가리키고 짧은바늘이 2와 3 사이에 있으므로 영화가 끝난 시각은 2시 30분입니다.

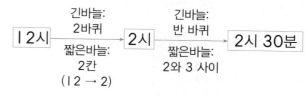

4 거울에 비친 시계는 짧은바늘이 3, 긴바늘이 12를 가리키므로 3시입니다.

3시에서 긴바늘이 3바퀴 돌면 짧은바늘은 숫자 눈금 3칸을 움직이므로 6시가 됩니다.

5 1시부터 2시 30분까지의 시각에서 각각 종이 몇 번씩 울리는지 알아보면 1시(1번), 1시 30분(1번), 2시(2번), 2시 30분(1번)입니다.

따라서 종은 모두 5번 울립니다.

3주 특강 창의·융합·코딩   **122쪽~127쪽**

1

2

3

4 (위에서부터) ㉢, ㉡, ㉠

5 토끼

6 ㉡

7 콩쥐

8 ㉮ 개울가에 올챙이 한 마리

9 ㉮

10

1 $1+9=10$, $2+8=10$, $3+7=10$,
$4+6=10$

2

㉠ 짧은바늘이 2, 긴바늘이 12를 가리키므로 2시
입니다.

㉡ 짧은바늘이 4와 5 사이에 있고, 긴바늘이 6을
가리키므로 4시 30분입니다.

㉢ 짧은바늘이 7과 8 사이에 있고, 긴바늘이 6을
가리키므로 7시 30분입니다.

3 $9-2-4=7-4=3$
➡ 3칸만큼 색칠합니다.

4 • 1시 30분에 인당수에 몸을 던졌습니다. ➡ ㉡
• 4시 30분에 바다의 연꽃 속에서 살아났습니다.
➡ ㉢
• 아버지를 찾기 위해 6시에 잔치를 벌였습니다.
➡ ㉠

5 거북: $7+3+8=10+8=18$
토끼: $9+6+4=9+10=19$
➡ $18<19$이므로 토끼가 이깁니다.

6 ㉠, ㉢, ㉣은 시곗바늘이 모두 커튼에 가려지게
되므로 가능합니다.
㉡은 긴바늘이 6을 가리켜야 하는데 시계에서 긴
바늘이 보이지 않으므로 ㉡은 될 수 없습니다.

7 심청: $8+2+6=10+6=16$
백설공주: $7+3+4=10+4=14$
신데렐라: $3+9+1=3+10=13$
콩쥐: $5+6+4=5+10=15$
따라서 파티에 갈 수 있는 사람은 콩쥐입니다.

8 $4+3+3=10$(글자)
➡ 개울가에 올챙이 한 마리
$3+3+4=10$(글자)
➡ 무궁화 삼천리 화려 강산

9 $8+2+7=10+7=17$,
$7+6+4=7+10=17$,
$3+7+7=10+7=17$,
$7+5+5=7+10=17$

10 위쪽에 있는 모래가 1번 떨어지는 데 걸리는 시간
은 2시간입니다.
모래시계의 모래는 모두 3번 떨어졌습니다.
따라서 1시 ➡ 3시 ➡ 5시 ➡ 7시입니다.

누구나 100점 TEST

128쪽~129쪽

1 12   **2** ㉠

3 6, 6, 12, 6, 12, 18

4 인혜   **5** 1

6 7개

7 9, 1, 3, 5 또는 9, 3, 1, 5

8

1 8◈2=8+2+2=10+2=12

2 ㉠ 10−6=4, ㉡ 10−8=2
→ 4가 2보다 크므로 ㉠이 더 큽니다.

3

→ ┌ 짧은바늘: 6
　　└ 긴바늘: 12

4 진주는 7시 30분, 인혜는 7시, 상민이는 8시에
일어났습니다.
→ 가장 빠른 시각은 7시이므로 가장 빨리 일어
난 사람은 인혜입니다.

5 찬빈이가 고른 수 카드의 합은 3+7=10입니다.
9와 더해서 10이 되는 수는 1입니다.
→ 9+ 1 =10이므로 유나의 빈 카드에 알맞은
수는 1입니다.

6 바구니에 들어 있는 과일은 4+6=10(개)입니다.
10에서 3이 남으려면 7을 빼야 합니다.
→ 10− 7 =3이므로 먹은 과일은 7개입니다.

7 계산 결과가 가장 크게 되려면 가장 큰 수에서 가
장 작은 수와 둘째로 작은 수를 빼야 합니다.
→ 9−1−3=8−3=5 또는
　9−3−1=6−1=5

8 긴바늘이 6을 가리키면 '몇 시 30분'이고, 7시
를 지나고 9시를 지나지 않은 시각 중 몇 시 30분
은 7시 30분, 8시 30분입니다. 이 중에서 8시
보다 빠른 시각은 7시 30분입니다.

4주에는 무엇을 공부할까? ❷

132쪽~133쪽

1-1 3, 5   **1-2** 7, 4

2-1 1에 ○표   **2-2** 2에 ○표

3-1 26, 27   **3-2** 7, 6

4-1 (왼쪽에서부터) 3, 3, 13

4-2 (왼쪽에서부터) 6, 1, 16

5-1 (왼쪽에서부터) 2, 5, 5

5-2 (왼쪽에서부터) 10, 5, 6

4-1 7에 3을 더하여 먼저 10을 만들고 남은 3을 더
하면 13입니다.

4-2 9에 1을 더하여 먼저 10을 만들고 남은 6을 더
하면 16입니다.

5-1 12에서 먼저 2를 빼고 남은 10에서 5를 빼면
5입니다.

5-2 10에서 먼저 9를 빼고 남은 5를 더하면 6입니다.

1일 개념·원리 길잡이

134쪽~135쪽

활동 문제 134쪽

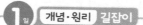

❶ ✂ 🧴 / ✂ 🧴 / ✂ 🧴 / ✂ 🧴

❷ 🐝 🐝 🌻 / 🐝 🐝 🌻 / 🐝 🐝 🌻

❸ 🧢 🎒 🧢 🧢 🎒 🧢 🧢 🎒 🧢

활동 문제 135쪽

❶ □, ○, □, □   ❷ 2, 2, 5, 2

활동 문제 134쪽

첫 번째 놓인 것과 같은 것이 놓인 곳을 찾아 반복되는
부분을 알아봅니다.

활동 문제 135쪽

❶ 야구공, 야구방망이, 야구방망이가 반복되고 야구
공을 ○로, 야구방망이를 □로 나타낸 것입니다.

❷ 가위, 보, 가위가 반복되고 가위를 2로, 보를 5로
나타낸 것입니다.

1일 서술형 길잡이 독해력 길잡이

1-1 농구공

1-2 (1) 예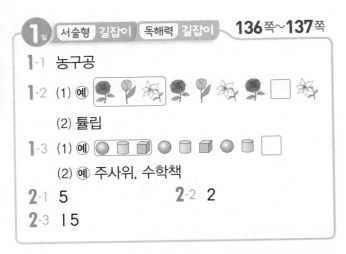

(2) 튤립

1-3 (1) 예

(2) 예 주사위, 수학책

2-1 5   **2-2** 2

2-3 15

1-1 축구공, 테니스공, 농구공이 반복되는 규칙입니다.
➡ 테니스공 다음에 올 공은 농구공입니다.

1-2 (1) 장미, 튤립, 백합이 반복됩니다.
(2) 장미 다음에 올 꽃은 튤립입니다.

1-3 (1) ⬤ 모양, ⬭ 모양, ⬜ 모양이 반복됩니다.
(2) ⬭ 모양 다음에 올 모양은 ⬜ 모양입니다.
➡ ⬜ 모양의 물건은 상자, 지우개 등이 있습니다.

2-1 두발자전거, 세발자전거가 반복되고 두발자전거는 2로, 세발자전거는 3으로 나타내므로 빈칸에 들어갈 수는 차례로 3, 2입니다.
따라서 합은 3+2=5입니다.

2-2 구하려는 것 빈칸에 들어갈 수의 합
주어진 조건 규칙에 따라 같은 동물을 같은 수로 나타냄.
해결 전략 ❶ 반복되는 부분을 찾아 각 동물을 어떤 수로 나타냈는지 알아봅니다.
❷ 빈칸에 들어갈 수를 알아본 후 합을 구합니다.

독수리, 사자, 뱀이 반복되고 독수리는 2로, 사자는 4로, 뱀은 0으로 나타내므로 빈칸에 들어갈 수는 차례로 2, 0입니다.
따라서 합은 2+0=2입니다.

2-3 ⬡ 모양, ⬠ 모양, ⬜ 모양이 반복되고 ⬡ 모양은 6으로, ⬠ 모양은 5로, ⬜ 모양은 4로 나타내므로 빈칸에 들어갈 수는 차례로 6, 4, 5입니다.
따라서 합은 6+4+5=10+5=15입니다.

1일 사고력·코딩

1 5번

2 (1) 예 둥두두둥이 반복되는 규칙입니다.
(2) 갱, 개, 개, 갱, 갱, 개, 개, 갱

3 3개   **4** 악어

1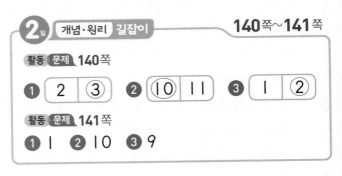

규칙에 따라 악보를 완성하면 ♪는 5번 나오므로 발구르기를 모두 5번 해야 합니다.

2 (2) 갱개개갱이 반복되도록 써넣습니다.

3 ▲ 모양, ⬤ 모양, ⬛ 모양이 반복되는 규칙이므로 ⬤ 모양 다음에 올 모양은 ⬛ 모양입니다.
⬛ 모양의 물건을 찾으면 액자, 초콜릿, 색종이로 모두 3개입니다.

4 토끼, 악어, 코끼리를 반복하여 흉내 내고 있습니다.
토끼를 흉내 내는 학생의 번호는 1번, 4번, 7번, 10번, 13번……입니다.
14번은 13번 다음에 오므로 토끼 다음에 오는 악어입니다.

2일 개념·원리 길잡이

활동 문제 140쪽

❶ 2 ③   ❷ ⑩ 11   ❸ 1 ②

활동 문제 141쪽

❶ 1   ❷ 10   ❸ 9

활동 문제 140쪽

❶ 2, 3이 반복되므로 2 다음에 올 수는 3입니다.

❷ 이웃하는 두 수에서 오른쪽 수는 왼쪽 수보다 1 크므로 1씩 커지는 규칙입니다.
따라서 9 다음에 올 수는 10입니다.

❸ 이웃하는 두 수에서 오른쪽 수는 왼쪽 수보다 1 작으므로 1씩 작아지는 규칙입니다.
따라서 3 다음에 올 수는 2입니다.

활동 문제 141쪽

❶ 71, 72, 73, 74, 75, 76, 77, 78, 79, 80
→ 71부터 시작하여 1씩 커집니다.

❷ 68, 78, 88, 98
→ 68부터 시작하여 10씩 커집니다.

❸ 66, 75, 84, 93
→ 66부터 9씩 커지므로 9씩 뛰어 세는 규칙입니다.

2일 서술형 길잡이 독해력 길잡이 142쪽~143쪽

1-1 38

1-2 (1) 3에 ○표, 커지는에 ○표 (2) 57

1-3 (1) 4에 ○표, 작아지는에 ○표 (2) 74

2-1 49   2-2 94

1-1 보기에 있는 수들은 11부터 시작하여 2씩 커지는 규칙입니다.
→ 30 − 32 − 34 − 36 − 38이므로 ★에 알맞은 수는 38입니다.

1-2 (2) 45 − 48 − 51 − 54 − 57이므로 ♥에 알맞은 수는 57입니다.

1-3 (2) 90 − 86 − 82 − 78 − 74이므로 ◆에 알맞은 수는 74입니다.

2-1 1 − 7 − 13 − 19에서 6씩 커지는 규칙입니다.
→ 더 색칠해야 할 수는 25, 31, 37, 43, 49 이므로 색칠한 수 중 가장 큰 수는 49입니다.

2-2 구하려는 것 수 배열표에 색칠한 수 중 가장 큰 수
주어진 조건 수 배열표에 색칠된 수
해결 전략 ❶ 수 배열표의 색칠된 부분의 규칙을 알아봅니다.
❷ ❶에서 찾은 규칙에 따라 더 색칠한 수 중 가장 큰 수를 알아봅니다.

52 − 59 − 66 − 73에서 7씩 커지는 규칙입니다.
→ 더 색칠해야 할 수는 80, 87, 94이므로 색칠한 수 중 가장 큰 수는 94입니다.

2일 사고력·코딩 144쪽~145쪽

1 예 10부터 시작하여 5씩 커집니다.
; 10, 15, 20, 25, 30, 35, 40

2 19   3 3개

4 예

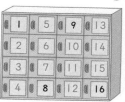 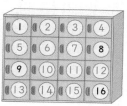

5 나

2 1부터 시작하여 2씩 커지는 규칙입니다.
11 − 13 − 15 − 17 − 19이므로
6번째 7번째 8번째 9번째 10번째
10번째에 놓이는 수는 19입니다.

3 터뜨린 풍선에 있는 수가 3, 8, 13, 18이므로 3부터 5씩 커지는 수가 적힌 풍선을 터뜨리는 규칙입니다.
따라서 더 터뜨려야 할 풍선은 23, 28, 33이므로 모두 3개입니다.

4 왼쪽 사물함은 아래쪽으로 1씩 커집니다.
오른쪽 사물함은 오른쪽으로 1씩 커집니다.

5 1, 4, 7, 10은 3씩 커지는 규칙입니다.
가: 25, 29, 33, 37은 4씩 커지는 규칙입니다.
(×)
나: 56, 59, 62, 65는 3씩 커지는 규칙입니다.
(○)

3일 개념·원리 길잡이 146쪽~147쪽

활동 문제 146쪽

❶ 예

❷ (왼쪽에서부터) 4, 1, 11 ; 11

활동 문제 147쪽

❶ 10, 11, 12, 13 ; 1

❷ 15, 14, 13, 12 ; 1

❸ 15, 15, 11, 11 ; 같습니다

활동 문제 146쪽

❶ 오른쪽 수판에서 왼쪽 수판으로 4를 옮겨 10을 만들었으므로 남은 ○ 1개를 그립니다.

❷ 6과 더해서 10이 되는 수가 4이므로 5를 4와 1로 가르기 합니다.

3일 서술형 길잡이 독해력 길잡이 **148쪽~149쪽**

1-1 (위에서부터) 10, 10, 10, 10
; 같습니다에 ○표

1-2 (위에서부터) 11, 13, 15, 17
; 커집니다에 ○표

2-1 15자루 **2**-2 16살

2-3 25장

1-1 6+4=10, 5+5=10, 4+6=10, 3+7=10
➡ 더해지는 수는 1씩 작아지고 더하는 수는 1씩 커지면 두 수의 합은 같습니다.

1-2 5+6=11, 6+7=13, 7+8=15, 8+9=17
➡ 더해지는 수는 1씩 커지고 더하는 수도 1씩 커지면 두 수의 합은 2씩 커집니다.

2-1 (민주의 연필 수)=3+9=12(자루)
　　　　　　　　　2　1
➡ (윤호와 민주의 연필 수)=3+12=15(자루)

2-2 **구하려는 것** 형의 나이

주어진 조건 준필이의 나이, 누나의 나이는 준필이보다 5살 더 많고, 형의 나이는 누나보다 4살 더 많음.

해결 전략 ❶ 누나의 나이를 구합니다.
❷ 형의 나이를 구합니다.
(누나의 나이)=7+5=12(살)
　　　　　　　　　3　2
➡ (형의 나이)=12+4=16(살)

2-3 (안나가 2일 동안 받은 칭찬 붙임딱지의 수)
=8+4=12(장)
　　2　2

(원재가 2일 동안 받은 칭찬 붙임딱지의 수)
=6+7=13(장)
　3　3
➡ (안나와 원재가 2일 동안 받은 칭찬 붙임딱지의 수)
=12+13=25(장)

3일 사고력·코딩 **150쪽~151쪽**

1 7, 4, 11 **2** 15장

3

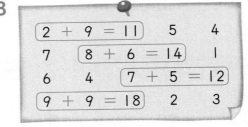

2 + 9 = 11	5	4
7	8 + 6 = 14	1
6	4	7 + 5 = 12
9 + 9 = 18	2	3

4 (1) (위에서부터)
14, 15, 16 ; 15, 17 ; 16, 17, 18
(2) 8, 8, 16 (3) 7, 9 ; 9, 7

5 9

---

1 어항 속 물고기는 모두 7+4=11(마리)입니다.

2 빈칸을 모두 채우려면 타일 9장을 더 붙여야 합니다. 따라서 현철이가 붙인 타일은 모두 6+9=15(장)입니다.

3 8+6=14, 7+5=12, 9+9=18

4 (1) 7+7=14, 7+8=15, 7+9=16,
8+7=15, 8+9=17, 9+7=16,
9+8=17, 9+9=18
(2) → 방향으로 더하는 수가 1씩 커지므로 8+7 다음으로 8+8이 와야 합니다.
➡ 8+8=16
(3) ╱ 방향으로 합이 같으므로 ╱ 방향으로 덧셈식을 찾아보면 7+9와 9+7입니다.

5 윤석이가 꺼낸 공에는 8과 5가 적혀 있으므로 합은 8+5=13입니다. 꺼내지 않은 공에 적힌 수 중 큰 수부터 7과 더하면 7+9=16, 7+6=13, 7+4=11……이고 합이 13보다 커야 하므로 수정이는 9가 적힌 공을 꺼내야 합니다.

4일 개념·원리 길잡이 **152**쪽~**153**쪽

활동 문제 **152**쪽

1 예

◯	◯	◯	◯	◯	⊘	⊘	
⊘	⊘	⊘	⊘	⊘			

2 (왼쪽에서부터) 2, 5, 5 ; 5

활동 문제 **153**쪽

1 7, 6, 5, 4 ; 1

2 6, 7, 8, 9 ; 1

3 9, 9, 9, 9 ; 1

활동 문제 **152**쪽

1 준비한 모자의 수가 7개이므로 7개를 /으로 지웁니다.

2 12에서 먼저 2를 빼고 남은 10에서 5를 뺍니다.

4일 서술형 길잡이 독해력 길잡이 **154**쪽~**155**쪽

1-1 (위에서부터) 10, 10, 10, 10
; 같습니다에 ◯표

1-2 (위에서부터) 12, 10, 8, 6
; 작아집니다에 ◯표

2-1 4개

2-2 3개

2-3 8479

1-1 $12-2=10$, $13-3=10$, $14-4=10$,
$15-5=10$
➡ 빼지는 수는 1씩 커지고 빼는 수도 1씩 커지면 두 수의 차는 같습니다.

1-2 $18-6=12$, $17-7=10$, $16-8=8$,
$15-9=6$
➡ 빼지는 수는 1씩 작아지고 빼는 수는 1씩 커지면 두 수의 차는 2씩 작아집니다.

2-1 (동생에게 주고 남은 사탕의 수)$=15-7=8$(개)
　　　　　　　　　　　　　　　　 5 2
➡ (먹고 남은 사탕의 수)$=8-4=4$(개)

2-2 구하려는것 민규에게 남아 있는 구슬의 수

주어진조건 민규가 처음에 가지고 있던 구슬의 수, 누나에게 준 구슬의 수, 민규가 잃어버린 구슬의 수

해결전략 **1** 누나에게 주고 남은 구슬의 수를 구합니다.
2 **1**에서 구한 구슬의 수에서 민규가 잃어버린 구슬의 수를 뺍니다.

(누나에게 주고 남은 구슬의 수)$=17-8=9$(개)
　　　　　　　　　　　　　　　　　 7 1
➡ (잃어버리고 남은 구슬의 수)$=9-6=3$(개)

2-3 ㉠ $12-4=8$　　　㉡ $13-9=4$
　　　　 2 2　　　　　　　3 6
㉢ $15-8=7$　　　㉣ $16-7=9$
　　 5 3　　　　　　　6 1
➡ 윤석이의 휴대 전화 비밀번호는 8479입니다.

4일 사고력·코딩 **156**쪽~**157**쪽

1 14, 5 ; 9

2 (1) 예 1씩 작아집니다.

(2) 예

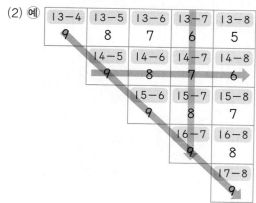

; 예 ↘ : 1씩 커지는 수에서 1씩 커지는 수를 빼면 차는 항상 똑같습니다.

3

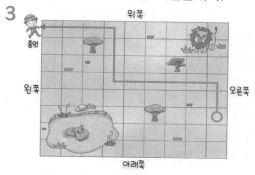

4 민준

1 모자는 목도리보다 $14-5=9$(개) 더 많습니다.

2 (1) 빼지는 수와 빼는 수에 따라 차가 어떻게 변하는지 살펴봅니다.

(2) 여러 가지 규칙을 찾을 수 있습니다.

3 $12-8=4$, $11-8=3$, $12-7=5$, $11-9=2$

➡ 오른쪽으로 4칸, 아래쪽으로 3칸, 오른쪽으로 5칸, 아래쪽으로 2칸 간 곳에 보물 상자가 있습니다.

4 민준: $14-9=5$(점), 세인: $11-7=4$(점)

➡ $5>4$이므로 점수가 더 높은 사람은 민준입니다.

5일 개념·원리 길잡이   **158**쪽~**159**쪽

활동 문제 **158**쪽

(위에서부터) 7, 9, 12, 13

활동 문제 **159**쪽

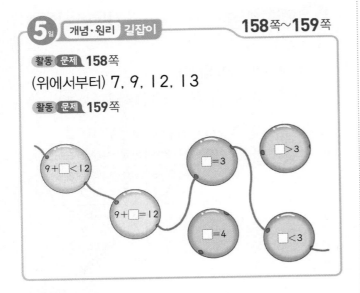

활동 문제 **158**쪽

(위에서부터)

· $\square+4=11$, $11-4=\square$, $\square=7$

· $\square+7=16$, $16-7=\square$, $\square=9$

· $\square-3=9$, $9+3=\square$, $\square=12$

· $\square-5=8$, $8+5=\square$, $\square=13$

활동 문제 **159**쪽

$9+\square<12$를 $9+\square=12$라고 하면

$12-9=\square$, $\square=3$입니다.

➡ $9+\square$의 값이 12보다 작으려면 $\square$ 안에는 3보다 작은 수가 들어가야 합니다.

5일 서술형 길잡이   독해력 길잡이   **160**쪽~**161**쪽

1-1 3개   **1**-2 (1) 5   (2) 4개

1-3 (1) 8   (2) 7

2-1 4   **2**-2 3

2-3 17

1-1 $5+\square>11$을 $5+\square=11$이라고 하면

$11-5=\square$, $\square=6$입니다.

$5+\square$의 값이 11보다 크려면 $\square$ 안에는 6보다 큰 수가 들어가야 합니다.

➡ $\square$ 안에 들어갈 수 있는 수는 7, 8, 9이므로 모두 3개입니다.

1-2 (1) $12-\square>7$을 $12-\square=7$이라고 하면

$12-7=\square$, $\square=5$입니다.

(2) $12-\square$의 값이 7보다 크려면 $\square$ 안에는 5보다 작은 수가 들어가야 합니다.

➡ $\square$ 안에 들어갈 수 있는 수는 1, 2, 3, 4이므로 모두 4개입니다.

1-3 (1) $7+9=16$이므로 $8+\square<7+9$를

$8+\square=16$이라고 하면 $16-8=\square$,

$\square=8$입니다.

(2) $8+\square$의 값이 16보다 작으려면 $\square$ 안에는 8보다 작은 수가 들어가야 합니다.

➡ 8보다 작은 수 중 가장 큰 수는 7입니다.

2-1 어떤 수를 $\square$라 하면 $\square+4=12$이므로

$12-4=\square$, $\square=8$입니다.

따라서 바르게 계산한 값은 $8-4=4$입니다.

2-2 구하려는 것 바르게 계산한 값

주어진 조건 어떤 수에서 6을 빼야 할 것을 잘못하여 더했더니 15가 됨.

해결 전략 ❶ 어떤 수를 $\square$라 하여 $\square$를 구하는 식을 세웁니다.

❷ 덧셈과 뺄셈의 관계를 이용하여 $\square$의 값을 구합니다.

❸ 바르게 계산합니다.

어떤 수를 $\square$라 하면 $\square+6=15$이므로

$15-6=\square$, $\square=9$입니다.

따라서 바르게 계산한 값은 $9-6=3$입니다.

2-3 어떤 수를 □라 하면 □−5=7이므로
7+5=□, □=12입니다.
따라서 바르게 계산한 값은 12+5=17입니다.

5일 **사고력·코딩** 162쪽~163쪽

1 ⑩ 7+■=15, 8 **2** 5개
3 (1) 8 (2) 7 **4** 4, 5

1 연아와 동생이 각각 만든 눈뭉치의 수의 합이
15개이므로 덧셈식으로 나타냅니다.
7+■=15, 15−7=■, ■=8이므로 동생
은 눈뭉치를 8개 만들었습니다.

2 오른쪽으로 기울어져 있으므로
11−□<14−7입니다.
14−7=7이므로 11−□<14−7을
11−□=7이라고 하면 11−7=□, □=4입
니다. 11−□의 값이 7보다 작으려면 □ 안에는
4보다 큰 수가 들어가야 합니다.
➡ □ 안에 들어갈 수 있는 수는 5, 6, 7, 8, 9
로 모두 5개입니다.

3 (1) 8+7=15이므로 두 수의 합이 나오는 규칙입
니다. ➡ 9+□=17, 17−9=□, □=8
(2) 13−8=5이므로 두 수의 차가 나오는 규칙입
니다. ➡ 16−□=9, 16−9=□, □=7

4 •15−7=8이므로 2+□<15−7을
2+□=8이라고 하면 8−2=□, □=6입
니다.
2+□의 값이 8보다 작으려면 □ 안에는 6
보다 작은 수가 들어가야 합니다.
➡ □ 안에 들어갈 수 있는 수는 1, 2, 3, 4,
5입니다.
•12−9=3이므로 3<□가 되려면 □ 안에는
3보다 큰 수가 들어가야 합니다.
➡ □ 안에 들어갈 수 있는 수는 4, 5, 6, 7,
8, 9입니다.
따라서 □ 안에 공통으로 들어갈 수 있는 수는
4, 5입니다.

4주 특강 **창의·융합·코딩** 164쪽~169쪽

1

2 (위에서부터)
⑩ 9+5=14 ; 8−□=4에 ○표 ; 11, 6

3
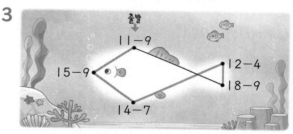

4 14, 13, 12 **5** 미, 솔, 시, 레, 파, 라
6 61
7 ❶ 3 ❷ 최고로 잘하고 있어
8 6, 9 **9** ◯에 ○표

1 4+7=11, 6+7=13, 6+9=15,
5+9=14, 4+8=12, 16−7=9,
17−9=8, 13−6=7, 11−5=6,
15−9=6

2 •농부 아저씨는 9명, 아주머니는 5명이므로 덧
셈식으로 나타내면 9+5=14입니다.
•먹은 오징어의 수를 □라 하여 뺄셈식으로 나
타내면 8−□=4입니다.

3 11−9=2, 15−9=6, 14−7=7,
12−4=8, 18−9=9를 차례대로 잇습니다.

4 · ▨ 모양에 쓰인 수: 5, 9 ➡ 5+9=14

· ▲ 모양에 쓰인 수: 7, 6 ➡ 7+6=13

· ● 모양에 쓰인 수: 8, 4 ➡ 8+4=12

5 1부터 2씩 커지면 1(도)−3(미)−5(솔)−7(시)−9(레)−11(파)−13(라)입니다.

6 파란색: 31−37−43−49에서 6씩 커지는 규칙입니다. ➡ 더 색칠해야 할 수는 55, 61, 67입니다.

빨간색: 33−40−47−54에서 7씩 커지는 규칙입니다. ➡ 더 색칠해야 할 수는 61, 68입니다.

따라서 두 가지 색깔이 모두 색칠된 칸에 있는 수는 61입니다.

7 ②

고	하	어
있		로
잘	최	고

➡

고	하	어
있		로
잘	최	고

➡

고	하	어
있		로
잘	최	고

고	하	어
있		로
잘	최	고

➡

고	하	어
있		로
잘	최	고

➡

고	하	어
있		로
잘	최	고

고	하	어
있		로
잘	최	고

➡

고	하	어
있		로
잘	최	고

8 (세인이가 뽑은 카드의 두 수의 차)=12−7=5

민준이는 6, 9, 14 중 두 장을 고를 수 있습니다.

➡ 14−6=8, 14−9=5, 9−6=3이고 이 중에서 차가 5보다 작은 경우는 9−6=3입니다.

따라서 민준이는 6, 9가 적힌 카드를 골랐습니다.

9 ▲ 모양, ▨ 모양, ● 모양이 반복되며 나오고, 첫째 줄에서 셋째 줄까지의 모양이 아래로 반복되며 나오는 규칙입니다.

같은 모양이 나오는 줄을 알아보면

첫째 줄 − 넷째 줄 − 일곱째 줄입니다.

첫째 줄에는 ▲ 모양 3개, ▨ 모양 3개, ● 모양 2개가 있으므로 가장 적게 있는 모양은 ● 모양입니다. 따라서 일곱째 줄에 있는 모양 중 가장 적게 있는 모양은 ● 모양입니다.

누구나 **100점** TEST 　　　170쪽~171쪽

1 예) 축구공, 야구공	**2** 79
3 63	**4** 4개
5 16자루	**6** 5개
7 17	**8** 25장

1 ⬡ 모양, ⬛ 모양, ● 모양이 반복되므로 ⬛ 모양 다음에 올 모양은 ● 모양입니다.

➡ ● 모양의 물건은 농구공, 구슬 등이 있습니다.

2 31−39−47−55에서 8씩 커지는 규칙입니다.

➡ 더 색칠해야 할 수는 63, 71, 79이므로 색칠한 수 중 가장 큰 수는 79입니다.

3 보기 에 있는 수들은 48부터 시작하여 3씩 작아지는 규칙입니다.

➡ 75−72−69−66−63이므로 ★에 알맞은 수는 63입니다.

4 9+□>14를 9+□=14라고 하면

14−9=□, □=5입니다.

9+□의 값이 14보다 크려면 □ 안에는 5보다 큰 수가 들어가야 합니다.

➡ □ 안에 들어갈 수 있는 수는 6, 7, 8, 9이므로 모두 4개입니다.

5 (예지의 연필 수)=5+6=11(자루)

➡ (정수와 예지의 연필 수)=5+11=16(자루)

6 (동생에게 주고 남은 사탕의 수)=16−9=7(개)

➡ (먹고 남은 사탕의 수)=7−2=5(개)

7 어떤 수를 □라 하면 □−4=9이므로

9+4=□, □=13입니다.

따라서 바르게 계산한 값은 13+4=17입니다.

8 (상현이가 2일 동안 받은 칭찬 붙임딱지의 수)

=9+5=14(장)

(가은이가 2일 동안 받은 칭찬 붙임딱지의 수)

=3+8=11(장)

➡ (상현이와 가은이가 2일 동안 받은 칭찬 붙임딱지의 수)

=14+11=25(장)

교과서 중심 기본서

초등 기본서 베스트셀러

앞서가는 아이의 **필수템**

우등생
해법시리즈

스마트하게 혼·공

학습에 도움 주는 꼼꼼한
동영상 강의와 다양한 시각 자료로
코로나 시대, 혼자서도 완벽 학습 가능

빅데이터의 선택

출제율과 오답률을 토대로
빅데이터가 분석·출제한 문제를 통해
과목별 실력을 확실하게 UP

세트 구매가 꿀이득

중요하지 않은 과목은 없으니까!
세트에만 포함된 풍부한 특별 부록으로
더 재미있고, 알차게 공부

새학기엔 슬기로운 우등생 생활!

1~2학년: 국어, 수학, 봄·여름 | 3~6학년: 국어, 수학, 사회, 과학 (초등 1~6학년 / 학기용)

※ 세트 구매 시 수학 연산력 문제집, 헷갈리는 낱말 수첩, 과목별 단원평가 문제집, 빅데이터 시크릿 북, 한국사 사전 등 특별 부록 제공(학년 별 부록 상이, 구매 시 상세 정보 확인)

정답은
이안에
있어!

기초 학습능력 강화 프로그램

매일 조금씩 공부력 UP!

하루 독해 　 하루 어휘 　 하루 글쓰기 　 하루 VOCA

하루 수학 　 하루 계산 　 하루 도형 　 하루 사고력

하루 사회 　 하루 과학

과목	교재 구성	과목	교재 구성
하루 수학	1~6학년 1·2학기 12권	하루 사고력	1~6학년 A·B단계 12권
하루 VOCA	3~6학년 A·B단계 8권	하루 글쓰기	예비초~6학년 A·B단계 14권
하루 사회	3~6학년 1·2학기 8권	하루 한자	1~6학년 A·B단계 12권
하루 과학	3~6학년 1·2학기 8권	하루 어휘	1~6단계 6권
하루 도형	1~6단계 6권	하루 독해	예비초~6학년 A·B단계 12권
하루 계산	1~6학년 A·B단계 12권		

※ 각 교재별 출간 시기는 조금씩 다르며, 일부 교재는 순차적으로 출시될 예정입니다.

배움으로 행복한 내일을 꿈꾸는
천재교육 커뮤니티 안내 ...

교재 안내부터 구매까지 한 번에!
천재교육 홈페이지

천재교육 홈페이지에서는 자사가 발행하는 참고서,
교과서에 대한 소개는 물론 도서 구매도 할 수 있습니다.
회원에게 지급되는 별을 모아 다양한 상품 응모에도
도전해 보세요.

구독, 좋아요는 필수! 핵유용 정보 가득한
천재교육 유튜브 <천재TV>

신간에 대한 자세한 정보가 궁금하세요?
참고서를 어떻게 활용해야 할지 고민인가요?
공부 외 다양한 고민을 해결해 줄 채널이 필요한가요?
학생들에게 꼭 필요한 콘텐츠로 가득한 천재TV로 놀러 오세요!

다양한 교육 꿀팁에 깜짝 이벤트는 덤!
천재교육 인스타그램

천재교육의 새롭고 중요한 소식을 가장 먼저 접하고 싶다면?
천재교육 인스타그램 팔로우가 필수!
누구보다 빠르고 재미있게 천재교육의 소식을 전달합니다.
깜짝 이벤트도 수시로 진행되니 놓치지 마세요!